TUS
LIBROS
D1067733

*Papel mojado*

JUAN JOSÉ MILLÁS (1946)

# Juan José Millás

# papel mojado

*Apéndice:*
*Constantino Bértolo Cadenas*

*Ilustración:*
*Viana Fuentes*

*Las ilustraciones, originales de Viana Fuentes, han sido realizadas expresamente para esta edición.*

Diseño: Rolando & Memelsdorff, Barcelona
Grabado del autor: Justo Barboza
Cubierta: Viana Fuentes


Juan Ignacio Luca de Tena, 15. 28027 Madrid

1.ª edición, septiembre 1983; 2.ª edición, mayo 1985
3.ª edición, noviembre 1985; 4.ª edición, junio 1986
5.ª edición, abril 1987; 6.ª edición, noviembre 1987
7.ª edición, junio 1988; 8.ª edición, abril 1989
9.ª edición, abril 1990; 10.ª edición, abril 1991
11.ª edición, diciembre 1991; 12.ª edición, julio 1992
13.ª edición, mayo 1993; 14.ª edición, septiembre 1994

ISBN: 84-207-3308-3
Depósito legal: M. 21.461/1994
Impreso en ORYMU, S. A.
Ruiz de Alda, 1
Polígono de la Estación. Pinto (Madrid)
Impreso en España - Printed in Spain

# *Indice*

Uno . . . . . . . . . . 7
Dos . . . . . . . . . . 19
Tres . . . . . . . . . . 31
Cuatro . . . . . . . . . . 41
Cinco . . . . . . . . . . 53
Seis . . . . . . . . . . 67
Siete . . . . . . . . . . 79
Ocho . . . . . . . . . . 89
Nueve . . . . . . . . . . 101
Diez . . . . . . . . . . 113
Once . . . . . . . . . . 125
Doce . . . . . . . . . . 133
Trece . . . . . . . . . . 143
Catorce . . . . . . . . . . 153
Quince . . . . . . . . . . 163
Dieciséis . . . . . . . . . . 171

Apéndice . . . . . . . . . . 183

Bibliografía . . . . . . . . . . 214

# *Uno*

Recuerdo una frase leída en algún sitio y repetida luego hasta la saciedad: «Lleva cuidado con lo que deseas en la juventud, porque lo tendrás en la edad madura». Junto a ella aparece otra de semejante calibre que la complementa y que fue para los de mi generación tan importante como la primera: «A partir de cierta edad cada hombre es responsable de su rostro».

He querido citarlas a propósito de mi amigo Luis Mary, que se las aprendió a una edad terrible, situada entre el final de la adolescencia y el principio de lo que luego resultó ser la juventud, y que se las creyó hasta el punto de convertirlas

en un programa de vida. Si deseó lo correcto, el diablo y él lo sabrán; lo cierto es que a los treinta y cinco tenía el rostro que caracteriza a los habitantes de las tinieblas. Y no sólo el rostro, sino que su cuerpo había adquirido también cierto perfume entre descompuesto y agrio, que llevaba consigo a todas partes como ejemplo vivo de lo que puede ser una madurez precedida de un pasado turbulento y rico en toda clase de experiencias extrañas, prohibidas o no.

Ahora ya no va a ningún sitio ni molesta a nadie con sus amargas quejas acerca de la vida o con sus crueles ironías sobre quienes formamos parte de ella. Está muerto. La semana pasada le dimos tierra en el cementerio civil con gran disgusto de sus ancianos padres. Han situado su cadáver a metro y medio de la superficie y tiene como vecinos a un par de suicidas, que con un tiro en la boca o una corbata mortífera alrededor del cuello pasaron a una suerte de existencia donde el deseo y las corrientes eléctricas que éste produce han desaparecido para siempre.

Mi amigo Luis Mary, como puede advertirse por las líneas anteriores, era un personaje de novela. Había leído demasiadas historias que le hicieron perder el sentido de la realidad; de la otra realidad, mejor dicho, donde discurre la vida cotidiana y uno acaba una carrera, encuentra trabajo, crea un hogar, prospera, tiene hijos, etc. Recuerdo una de nuestras discusiones favoritas en los tiempos de facultad:

—Necesito vivir así —decía él— para acumular experiencias. Quiero ser escritor y los escritores no pueden ser vulgares.

—Tú no quieres ser escritor —le respondía yo desde una posición vital que a él le parecía mezquina y ruin—. El que quiere ser escritor soy yo. A ti lo que te gusta es ser un

personaje de novela, y hay que elegir entre una cosa y otra, porque no se pueden ejercer las dos al mismo tiempo.

—No, no. Tú eres un tipo muy normal: tu traje, tu corbata, tu novia... Acabarás haciendo oposiciones y serás un buen funcionario. Pero escritor, no; no das el tipo. Además, te llamas García de apellido.

—Ya veremos, Luis Mary. De todos modos, estoy dispuesto a hacerte un favor: si perfeccionas tus modales como personaje de novela, tal vez te incluya en una de las mías cuando sea famoso. Pero has de procurar trabajar más tu aspecto; no disfrazarte con esos jerseys y esos zapatos que Dios sabe de dónde sacas. Además, tienes cierta tendencia a sobreactuar tus papeles.

En fin, en discusiones así gastábamos nuestro tiempo libre de estudiantes. En honor a la verdad, he de decir que su fracaso fue menor que el mío. No consiguió ser novelista, pero sí llegó a ser un buen personaje de novela. Yo, en cambio, además de no haber logrado nunca escribir más de treinta folios seguidos, tampoco conseguí retener junto a mí a la única mujer que he querido, ni encontré un trabajo digno de mis ambiciones adolescentes; no tengo, en fin, muchas posibilidades de progresar en la vida. Un desastre. Eso sí, vivo de la pluma. Soy gacetillero en una de esas revistas que hay en las mesas de todas las peluquerías. Trabajo seis horas diarias (los días de cierre un poco más) y mi trabajo consiste en escribir inmundos comentarios a las fotos inmundas que me pasa el redactor jefe. Me llamo Manolo G. Urbina (lo digo completo por si alguien lo reconoce, pues a veces también firmo inmundos artículos sobre estrellas de cine y televisión).

Por eso he decidido desquitarme de tanta vida inútil y

cumplir, de paso, la promesa que un día le hiciera a mi amigo Luis Mary: lo voy a meter en una novela; en ésta que ahora mismo, esta tarde de otoño, comienzo con un ritmo febril para que mis vecinos escuchen el teclear de la máquina y se enteren por fin de que en el apartamento número siete del tercer piso vive un escritor.

Y la voy a escribir por dos razones:

Primera: porque sospecho que mi amigo Luis Mary no se suicidó, sino que fue asesinado por alguna razón que me propongo descubrir.

Segunda: porque, si en el curso de esta investigación me llegara a ocurrir algo desagradable, la policía podría encontrar en estos papeles alguna pista de importancia para capturar al doble asesino.

La presunción de que mi amigo Luis Mary ha sido asesinado no se basa únicamente en el hecho de que me apetezca escribir una novela en la que aparezca él como protagonista (en la medida en que un cadáver pueda ser protagonista de algo), sino en algunas conjeturas que hice a raíz de su entierro aprovechando ciertos datos que él mismo me había facilitado en vida.

Efectivamente, hace cosa de mes y medio o dos meses, a finales del verano, me lo encontré sentado en una de esas cafeterías caras que hay en el Paseo de Rosales. Hacía un año o dos que no nos veíamos. Después de acabar nuestros estudios mantuvimos intacta durante algún tiempo nuestra amistad, pero como es frecuente en personalidades tan distintas, que en un momento se unen para complementarse, las circunstancias nos fueron alejando. Yo he sido un hombre de pocos recursos y escasa imaginación y pronto tuve que comenzar a buscarme la vida. Luis Mary, más

ingenioso que yo y también más hábil para la resolución de las cuestiones cotidianas, comenzó entonces, como veremos, a buscarse la muerte. De manera que nada sabía de él, excepto por referencias vagas de amigos comunes que tan pronto decían que se había ido a vivir a Marruecos con una pintora, como que estaba en Barcelona apartado de todo y entregado a la tarea de escribir una obra maestra. Total, que su existencia no dejaba de ser una amenaza para mí, pues de un tipo como él podía esperarse cualquier cosa, incluso que en un momento dado escribiera una buena novela.

Sin embargo, ese día de finales de verano al que me refería, Luis Mary no se encontraba en ningún país exótico, ni en un ático barcelonés, ni siquiera en la redacción de una revista más prestigiosa que la mía. Estaba en Madrid, sentado en una terraza, como digo, apurando un gin-tónic y vigilando el portal de una casa cercana.

Confieso que su aspecto no me gustó nada y que eso me produjo una cierta alegría que me cuidé muy bien de confesarme. A pesar del calor, llevaba unos pantalones de pana descoloridos y una camisa negra, de seda quizá, que le estaba demasiado ajustada para ser suya. El pañuelo rojo con el que contribuía a abrasar su cuello era el remate más infame que se pueda imaginar a la indumentaria descrita, de no ser por los botines que calzaba y que posiblemente habían sido de ante negro en algún tiempo; tenían una botonadura sin forro en el lado exterior y una fina correa a la altura del tobillo. Más tarde advertí que debajo de uno de ellos —el derecho, creo— no había calcetín.

Yo iba con un traje nuevo, estrenado en julio, que había sido un éxito en la redacción de la revista. Era de color gabardina y tenía un corte perfecto, como de periodista

ocupado y triunfante. Reconozco que desde algún punto de vista este traje mío podía resultar vulgar, pero lo importante es que no necesitaba llevar el precio puesto para que los demás (sobre todo el redactor jefe) advirtieran que era muy caro. De manera que me coloqué el nudo de la corbata y me acerqué a la mesa de mi amigo dispuesto a recomendarle un sastre y un buen peluquero.

—Buenas tardes, Luis Mary.

Advertí que se había asustado más de lo debido, pese a que yo intenté sorprenderle. No obstante, reaccionó en seguida.

—Buenas tardes, Manolo Ge Urbina. Siéntate si no estás en trance de escribir el reportaje de tu vida y tomemos una copa.

Que me llamara Manolo Ge Urbina me humilló, pues significaba que leía mis inmundos artículos y que mi modo de firmar le había demostrado algo que sospechaba desde hacía años: que llamándome García (y avergonzándome de ello sobre todo) no podía yo tener ningún futuro brillante. Creo que me puse algo rojo. Luis Mary se rió:

—No te preocupes, hombre; hay apellidos peores para esta profesión tuya. Si te llamaras Campuzano, por ejemplo, a lo más que podrías aspirar sería a dirigir un folleto religioso o comercial escrito al dictado de tus jefes. Además, Campuzano rima con algunas palabras peligrosas y eso te expondría a mil chascarrillos desagradables.

—Pues tú tampoco puedes presumir de apellido —dije tras pedir al camarero un té caliente para quitarme la sed.

—¿Cómo que no, Manolo Ge? Ruiz es un apellido precioso, de gran sonoridad. Además, los que nos llamamos Ruiz tenemos la habilidad innata de encontrar seudónimos

alternativos de gran prestigio: Azorín, Picasso, Baroja...

—Baroja no se llamaba Ruiz.

—Me refiero a un amigo mío que hace cine. Ahora escucha: ¿sigues en esa infame revista?

—Sigo en esa infame revista ganando un sueldo infame con el que puedo permitirme el lujo de vestir decentemente, pagarme un apartamento y salir de vacaciones todos los años. Puedo, con ese sueldo infame, pagarte incluso la copa que te bebes.

—Me tendrás que invitar a la siguiente, porque ya está pagada. Pago cuando me sirven por si luego aparece alguno de esos gorrones que tienen dinero para todo, excepto para invitar a los amigos. Por cierto, que voy a darte la oportunidad de tu vida. ¿Qué crees que estoy haciendo aquí?

—De momento, insultarme —respondí.

—Error, eso lo puedo hacer en cualquier sitio. Estoy vigilando a un tipo.

—¿Dónde está?

—No está, pero estará dentro de un rato. Saldrá de ese portal con una cartera negra en la mano y nosotros lo seguiremos allá donde vaya.

—Yo no. Tengo prisa.

—¿Has quedado con Teresa? Me dijo que ya no os veíais.

Luis Mary tenía esa mezquina habilidad, que algunos llaman ingenio, de golpear en las zonas más doloridas de la personalidad de sus amigos. Teresa había sido el fracaso sentimental de mi vida. Fuimos novios desde los últimos tiempos del bachillerato hasta el final de la carrera. Me dejó, porque, según ella, yo sólo sabía moverme en un plano.

Llegó a odiar mi equilibrio, mi manía del orden, mi necesidad de encontrar el método adecuado para el desarrollo de cada actividad. Decía que yo la amaba, pero que la amaba de acuerdo con unas normas preestablecidas; que programaba mi amor del mismo modo que programaba mis estudios: era, en definitiva, un hombre sin sorpresas. Teresa no supo curarme; ignoraba que ese orden externo era el contrapeso necesario al caos interior que aún me habita. Jamás adivinó que cada cosa que colocaba por fuera denunciaba alguna clase de desajuste interno. Yo he tenido que luchar durante toda mi vida contra la locura con la misma fuerza con que un alcohólico rehabilitado ha de enfrentarse a su deseo: sabiendo que bastaría un sorbo del antiguo veneno para deslizarse de nuevo por el tobogán que conduce a ese temblor poblado de monstruosos insectos. Teresa amaba en mí esa zona oscura que nunca he mostrado, pero que una mirada atenta como la de ella era capaz de advertir en el modo de encender un cigarro o de entregarle la propina al acomodador del cine. Me amaba, pues, por lo que yo más odiaba de mí mismo y nuestra ruptura me dejó de recuerdo (a parte de media docena de corbatas y un mechero de oro, que todavía conservo) una de esas heridas sin sutura cuyo olor han detectado todas las mujeres a las que luego he intentado acercarme.

La alusión de Luis Mary fue a dar en esa herida y la violencia con que me golpeó no venía tanto del hecho de nombrar a Teresa, como de la información lateral que contenía su frase: «me dijo que ya no os veíais». Ese «me dijo» significaba que él la había visto y dejaba abierta la puerta para que mi fantasía imaginara cualquier cosa acerca de la relación entre ambos. Dije:

—¿Tú no tienes ningún punto vulnerable?

—Sólo uno, Manolo Ge: la muerte. La llevo en la cerviz, como los toros, y es fácil de encontrar. Ahora deja de sufrir un momento, que el tipo de la cartera negra debe de estar al salir. Tranquilízate, no tengo nada que ver con Teresa. La veo de vez en cuando, como antiguos compañeros; eso es todo. Debes saber que soy un hombre casado.

Tuve algunas tentaciones, que reprimí a tiempo, de aventurar la profesión de su mujer. Mi insulto sólo habría servido para poner más a la vista el daño que me había hecho. Nos quedamos silenciosos, con la mirada dirigida al portal. El a la espera de que le diese la enhorabuena; yo, en la esperanza de que le partiera un rayo. Entre su espera y mi esperanza había una distancia calculable en unidades de odio, que no me fue posible medir, porque en ese momento apareció en el portal una suerte de enano, por otra parte normalmente constituido, que llevaba una cartera negra, excesiva para su tamaño, bajo el brazo derecho. Pareció dudar unos momentos sobre el camino a seguir y, después de una rapidísima mirada sobre quienes permanecíamos en la terraza, dio un giro a la derecha y comenzó a andar dándonos la espalda.

Luis Mary se levantó con una calma contenida, extrajo de uno de sus bolsillos una pelota de billetes de banco y dejó uno, que habría servido para pagar tres copas más, sobre la mesa. Dijo:

—Vamos.

Y comenzó a andar tras el hombrecillo.

Ignoro qué impulso me obligó a seguirle, aunque no dudo que procedía de la parte más débil y menos equilibra-

da de mi carácter. También influyó, seguramente, en mi repentina decisión el hecho de que Luis Mary parecía saber cosas acerca de Teresa. Estar junto a él en aquellos momentos era un modo de relacionarme con ella.

# *Dos*

El hombrecillo al que seguíamos tenía andares de pájaro. Llevaba una camisa blanca, de manga corta, y pantalones azules de tergal. Nos condujo al Parque del Oeste, lleno a esa hora de parejas y de señoras frenéticamente ocupadas en las labores de ganchillo. Se detenía con frecuencia a contemplar sucesos tan triviales como un niño deslizándose por un tobogán o un perro tratando de alcanzar una pelota. Después daba un saltito de gorrión y cambiaba de rumbo.

—Yo creo que ha notado que le seguimos —dije a Luis Mary.

—No importa —respondió—. Vamos a ponerle un poco nervioso. Entretanto, vete memorizando algunas cosas, aunque no te parezcan de gran utilidad por el momento: el sujeto se llama Campuzano; fue, en tiempos, visitador médico. En la actualidad dirige una revista médica llamada *Hipófisis,* que está financiada por los laboratorios Basedow, una multinacional con más ramificaciones que mi árbol genealógico.

—¿Por qué le seguimos?

—Nos lo dirá él en su momento.

La inteligencia de Luis Mary tendía a la paradoja con el mismo tipo de inclinación que arrastra a las ratas hacia las alcantarillas.

—No entiendo nada —dije.

—Es lo mismo. No hay ciudadano que bien investigado no merezca diez años de cárcel. Al que tenemos delante se le podrían meter veinte utilizando sólo los documentos que lleva en la cartera.

—Podría haber esperado cualquier cosa de ti, excepto que terminaras de detective privado.

—Si perseguir a un tipo de metro y medio que arrastra una cartera significa para ti ser detective, es que tu imaginación ha adelgazado en los últimos años, Manolo Ge. Estoy a punto de dar un golpe de mucha pasta y he decidido regalarte la exclusiva periodística, que vale unos cientos. De manera que acepta el regalo o vete, pero no me pongas nervioso, porque ese tipo tiene más cerebro que tú y yo juntos.

El tal Campuzano entró en la Rosaleda con la misma falta de determinación con que había recorrido el resto del parque. Entramos tras él guardando una distancia prudente,

aunque sin disimular nuestra actitud persecutoria. El sujeto dio un par de vueltas componiendo gestos entre asustados y furtivos, pero había llegado a mecanizarlos de tal modo, que parecían tics nerviosos que no guardaban ninguna relación con nuestra presencia. Finalmente, se sentó en un banco y comenzó a fumar. La tranquilidad con que encendió el cigarro, y el placer reposado con que se tragó la mezcla de nicotina y alquitranes, contrastaba con la actividad general de su cuerpo. Tenía el pie derecho ligeramente separado del tronco, como dispuesto a levantarse bajo el estímulo de una señal convenida. Los ojos, casi redondos, giraban de un lado a otro en busca de un objetivo inexistente o, en todo caso, muy lejano.

Luis Mary y yo permanecimos observándole detrás de unos rosales. Parecía que no nos podía ver, aunque hubiera sido muy aventurado hacer cualquier consideración acerca de la capacidad visual de aquellos ojos. En un momento determinado, nuestro hombre —de paso hacia otro gesto— miró su reloj de pulsera. Luis Mary dijo:

—Está esperando a alguien. Es posible que no haya advertido nuestra presencia.

—En ese caso —especulé yo— no trataba de despistarnos, sino de hacer tiempo.

—Es posible, pero no me fío nada. Escucha, lo más importante de este asunto es no perder de vista la cartera. Creo que tarde o temprano aparecerá un contacto a quien se la tiene que entregar. Cuando esto suceda, yo me iré detrás del contacto y tú detrás de Campuzano. Si ves que la cosa se pone difícil, no te expongas a nada; te largas y en paz. Ya hablaré yo contigo mañana o pasado, ¿vale?

—Vale.

TUS
LIBROS

La idea de escaparme del asunto de manera tan sencilla me tranquilizó y adopté una postura de reposo. Si el contacto aparecía, yo pensaba largarme se pusiera o no difícil la cosa. Luis Mary, sin embargo, estaba cada vez más nervioso y esto era para mí una novedad que daba cuenta de la magnitud del asunto que se traía entre manos.

En esto, el hombrecillo se levantó, tiró el cigarro y aprovechó el gesto para lanzar otra mirada a su reloj. Después comenzó a andar pausadamente en dirección a la salida. Nos condujo al teleférico y, según subíamos las escaleras, Luis Mary —algo descontrolado ya— me dijo:

—Vamos a pegarnos a él como si fuéramos juntos. Si coge una cabina, nos metemos los tres en la misma.

—¿No sería más prudente seguirle en la de atrás?

—Haz lo que te digo.

—De acuerdo —contesté resignado.

El llamado Campuzano sacó un billete de ida y vuelta. Luis Mary, detrás de él, sacó dos para el mismo trayecto. La empleada miró el reloj y dijo:

—Tienen que volver antes de una hora; el teleférico deja de funcionar cuando anochece.

En la terminal tuvimos que esperar unos segundos. A esa hora ya no subía nadie. El empleado nos miró a los tres. Estábamos mudos como estatuas y tensos como un arco a punto de estallar. Dijo:

—¿Les importaría ir en la misma cabina?

—No —se apresuró a contestar Luis Mary.

Yo no dije nada. El hombrecillo, tampoco, pero siguió lanzando las mismas ráfagas visuales por encima de sus hombros. Me llegaba por debajo de la barbilla, aunque advertí que tenía los músculos de un picapedrero.

Se sentó en un banco ocupando el centro. Luis Mary y yo nos colocamos frente a él, tocándonos ligeramente por la zona de los muslos. Miré hacia abajo y comencé a sentir vértigo. Intenté mirar a Campuzano, pero eso me producía desazón. Tenía los ojos de una paloma y parecía tan asustado como un animal de esa especie. Intenté sonreír y fracasé.

—Me están dando ganas de devolver —conseguí articular finalmente.

No oí que nadie me respondiera. Cerré los párpados y las sensaciones se multiplicaron, pero los mantuve cerrados de todos modos. En el laboratorio de mi cerebro comenzó a producirse una actividad espontánea, ajena al control de mi voluntad: veía el negativo del rostro de Campuzano; poco a poco el negativo se positivaba y aparecían sucesivamente los rasgos pajariles del hombrecillo al que seguíamos. Observé que sus labios eran de papel de fumar, aunque algo rosados. Estaban contraídos en un gesto cruel, que anulaba la sensación de susto de su mirada. Me recordaron los labios de un cardenal cuya foto había visto en un libro de arte en mis tiempos de estudiante.

Cuando abrí los ojos, habíamos atravesado ya los tejados destartalados de las casas que hay en esa zona y estábamos en el punto más alto sobre el que pasa el teleférico: encima del río. Sentí en mi estómago la presencia de un gato encerrado o una pelota de gusanos de seda. Pensé que no podría retener el vómito y me volví a Luis Mary, que estaba muy serio, con la mirada clavada en la entrepierna de Campuzano. Miré hacia allí y vi que por debajo de la cartera negra asomaba una navaja de quince centímetros tan afilada como el labio superior de su dueño. El miedo apaciguó a los

gusanos de seda y mi tensión nerviosa descendió ante el primer hecho concreto de aquella maldita tarde.

Cuando nuestra cabina alcanzó la zona de la Casa de Campo sobre la que el teleférico discurre a menos distancia del suelo, el hombrecillo miró por primera vez hacia abajo. Luego levantó la mano izquierda y arrojó la cartera por la ventanilla que había encima de él, a su espalda. Pude ver, mirando de reojo, una sombra que se acercaba a recogerla. La navaja no había cambiado de posición ni la actitud nerviosa de Campuzano había decrecido. Entonces, Luis Mary dijo:

—Enhorabuena, Campuzano. Tenías un plan perfecto.

El sujeto nos miró alternativamente, sin dejar por eso de vigilar su espalda, y graznó:

—Ustedes me seguían, ¿sí, no, eh?

Su voz estaba más cerca del garlido de una gaviota que del sonido de los distintos pájaros que había representado hasta el momento.

—Eres un águila —respondió Luis Mary para acabar de completar mi muestrario ornitológico.

En esta situación llegamos a la terminal del teleférico, donde Campuzano cerró la navaja y se la guardó en algún lugar cercano a la ingle. Descendimos detrás de él y vimos cómo se alejaba en dirección a una cabina telefónica.

—Vamos a esperarle —dijo Luis Mary.

—Yo no regreso con ese pájaro —respondí.

—No te preocupes, ya ha soltado la cartera, que es lo que quería. Ahora no es peligroso y le podemos sonsacar algo.

—Bueno.

El miedo me impidió dar una respuesta más inteligente.

El sujeto colgó el teléfono y salió de la cabina. Vino hacia nosotros.

—Van a volver conmigo, ¿sí, no, eh? —dijo y echó a andar hacia la terminal.

Nosotros, sin abrir la boca, nos colocamos junto a Sinoéh, antes Campuzano, y con más miedo que vergüenza nos metimos en la misma cabina.

Oí el ruido de la puerta al cerrarse e, inmediatamente, el sonido de una navaja automática al abrirse. Se la colocó de nuevo entre las piernas.

—Como esto se mueva bruscamente, vas a pincharte en un sitio muy doloroso —bromeó Luis Mary.

—Le gusta mucho jugar con fuego, ¿sí, no, eh? —respondió Sinoéh.

—Sólo cuando la hoguera es productiva, Campuzano. Y la leña que tú usas vale mucho dinero. Asóciate conmigo y nos forraremos los dos.

—Yo no trabajo con inmorales —respondió dando un repaso con los ojos a la indumentaria de Luis Mary.

—Es muy frecuente en la gentuza de tu calaña confundir la moral con la ley. Sois una especie de degenerados cuya definición escapa a los límites del código penal. Os parecéis a las polillas, que se mueven en torno a algo que nunca podrán alcanzar, porque en el momento de alcanzarlo se abrasan. Si lo que tienes entre las ingles te sirviera de algo, habrías colocado esa navaja en otro sitio.

La provocación de Luis Mary afiló la mirada de Sinoéh, que encogió los labios en una especie de fruncido orgánico repugnante. Tuve la impresión de que nuestro hombre iba a lanzar por el agujero resultante de ese fruncido el sonido característico de una serpiente asustada (pasar un rato con

Campuzano equivalía a hacer tres visitas al zoo). Afortunadamente, la navaja no se movió de su lugar, aunque ahora, sin la cartera negra ocultándola parcialmente, impresionaba más la capacidad penetradora de su hoja. Dije:

—Déjalo ya, Luis Mary.

—No te preocupes —contestó—, el señor Campuzano, al que no sé si te he presentado en el viaje de ida, es una especie de reptil perfectamente estudiada y catalogada; de manera que conozco sus características. Lo que lleva entre las ingles sólo puede utilizarlo para impresionar, ya que una suerte de jugarreta genética le impide usarlo para otros fines fuera de los puramente ornamentales. De lo que hay que cuidarse realmente es de su mordedura, que ocasiona una urticaria temporal parecida a la que produce el jugo que sueltan las orugas, esas larvas de mariposas que tienen forma de gusano.

Después de esta explicación científica, nos quedamos todos un poco silenciosos. Yo no sabía a dónde mirar y resolví la duda volviendo de nuevo los ojos a la navaja de la oruga. Pasados unos segundos, Luis Mary arremetió otra vez:

—¿No ves? Es lo que te decía, te hechiza con lo que tiene entre las piernas y, cuando el hechizamiento se convierte en hipnosis, te ataca en el cuello con los dientes. Menos mal que has venido conmigo, que soy un experto.

Ahora sí que escuché un silbido de serpiente que me heló la sangre. Cuando me fue posible levantar los ojos, la cara de Campuzano se sostenía sobre un cuello sometido a toda clase de tensiones musculares. Sus ojos se movían en la órbita precisa que distingue a ciertos animales momentos

antes de atacar, y sus párpados parecían soldados, condenando a los ojos a mirar sin descanso. Era uno de esos monstruos, a los que acompaña el efecto de una respiración asmática que se resuelve en un silbido, cuya capacidad para producir terror venía dada por la impresión que da ver fuera del cuerpo lo que calculamos que todos debemos de tener por dentro.

Afortunadamente, en ese momento entrábamos en la terminal y los ruidos externos consiguieron aliviar la tensión en el interior de la cabina. Campuzano cerró la navaja con un movimiento preciso y salió delante de nosotros sin dedicarnos un solo gesto de desprecio.

Luis Mary todavía pretendía seguirle, pero un par de gorilas muy simpáticos nos detuvieron en la puerta y nos obligaron a jugar durante media hora en unas maquinitas tragaperras, estratégicamente situadas en ese lugar, mientras Sinoéh, el pájaro-reptil, se largaba escaleras abajo. Los dos gorilas, que conocían aquellos puntos del cuerpo donde el dolor alcanza su máxima perfección bajo el menor estímulo, nos castigaban entre risas cuando no conseguíamos en la máquina la puntuación precisa para sacar una partida gratis (las monedas las pusieron ellos). Yo, que no he sido nunca hombre de barra ni de tragaperras, me llevé la peor parte.

Cuando se fueron tras proferir diversas amenazas para el caso de que nos volviéramos a encontrar, Luis Mary intentó reírse, pero el movimiento excesivo que se requiere de los músculos faciales para producir la risa le ocasionó un reflejo doloroso en sus castigados hombros y estuvo a punto de desmayarse.

—¿En qué andas metido? —conseguí preguntarle.

—Ya te contaré; hay mucho dinero por medio.

—Sí, pero los hospitales son caros y a lo mejor este tipo de accidentes no los cubre la Seguridad Social. Así que hazme un favor: olvídate de mí para este asunto.

# *Tres*

No volví a saber nada de Luis Mary hasta mes y medio o dos meses después, aproximadamente. Estábamos en los primeros días de un noviembre soleado, aunque frío. Yo preparaba mi primera entrevista importante a un conocido actor de cine y me aplicaba a combatir la soledad de mi apartamento y de mi vida con el mismo espíritu entre tenaz y minucioso que distingue a un contable a la búsqueda de treinta céntimos imaginarios sobre las hojas cuadriculadas del Libro Mayor.

En esto, una noche sonó el teléfono y me arrojé sobre él como si se tratara de esa llamada secreta que todos

esperamos. Distinguí en seguida al otro lado la voz de Teresa, la voz de Teresa.

—¿Eres tú, Manolo? —dijo dos o tres veces.

—Sí —articulé al fin—, es que estaba dormido. Perdona.

—Oye, estoy aquí cerca, en un bar. Tengo que hablar contigo. ¿Subo yo o bajas tú?

—¿Sabes el piso?

—Sí; tercero, apartamento siete. Bueno, qué, ¿subo entonces?

—De acuerdo, te espero.

Colgué el teléfono y me puse a sudar. Después me levanté y recogí un cenicero lleno de colillas que arrojé por el váter. Las boquillas, hechas de algún material insumergible y maldito, se quedaron flotando pese a haber vaciado la cisterna. Me vestí, me peiné con los dedos; me vi durante unos segundos en el espejo y advertí en mi cara los signos de un solitario que caminaba hacia la madurez. Algo había en mis pómulos o en mi frente que me relacionaba con cierto tipo de trastos que, abandonados en un desván, ignoran hace tiempo el efecto perdurable de una caricia. Luego fui al salón, coloqué un libro abierto sobre la mesa e introduje una cuartilla en el rodillo de la máquina. Pulsé apresuradamente las teclas y escribí con mayúsculas: «CAPÍTULO XII». Esperaba que ella lo viera y que creyera, pues, que estaba escribiendo una novela. Inmediatamente el sonido del interfono me heló la sangre. Cogí el telefonillo.

—Soy yo, abre —dijo Teresa desde abajo.

Pulsé el botón y escuché, con la precisión con que un condenado a muerte oiría el sonido de las armas al ser cargadas frente a él, los ruidos del ascensor al subir por el

tubo, la puerta del ascensor en su doble movimiento de apertura y cierre, y los pasos de Teresa sobre el largo pasillo en busca del apartamento número siete.

Abrí la puerta antes de que llamara al timbre.

—Hola —dijo, y nos besamos mutuamente.

—Siéntate, por favor —me apresuré a decir para evitar un silencio embarazoso.

Se sentó, encendió un cigarro, me miró. Luego dijo:

—Luis Mary ha muerto.

Recibí la noticia, acumulé tensión y me disparé a los pocos segundos:

—¿Y por qué tanta ceremonia? No conocías este apartamento... Hace años que no nos vemos y lo primero que me dices nada más sentarte es que Luis Mary ha muerto. Para esa clase de noticias se utiliza el teléfono y, además, me lo debería haber dicho cualquier otra persona.

—Es que se ha suicidado.

—Mejor; me alegra saber que al final supo dirigir acertadamente su agresividad.

Yo estaba de pie, de espaldas a ella. La oí llorar.

—No me vayas a decir ahora que estabas enamorada de él. Y no me digas, por favor —añadí sentándome frente a ella—, que no se te ha ocurrido un lugar mejor para llorarle.

—Es que tal vez no se haya suicidado —murmuró.

—Tal vez no esté muerto —dije por continuar con el mismo argumento, pero asombrado de que su presencia me hiciera aún tanto daño.

Su aspecto no era muy diferente al de los mejores días de nuestra cercana juventud. Su forma de vestir y de peinarse, su manera de llorar incluso me arrastraron a una zona de la vida que, si no fue feliz, fue intensa y asombrosa

para el adolescente insoportable y atormentado que de mí recuerdo. En esa zona, antes de que mi existencia se convirtiera en un pasillo cuyo final no podía ser otro que este agobiante apartamento, me fue dado creer que mi lucha contra la soledad tendría éxito. Y, si lo creí, fue por ella, por sus caricias, por la interpretación que hacía de mis estados melancólicos, pero también por la manera en que mi imagen, tras de introducirse en su cuerpo, me era devuelta sin fisuras a través de sus palabras o de su mirada.

—Supongamos que no se ha suicidado —dije al fin—. ¿Qué gano yo con eso? Y tú, ¿qué pierdes?

—No se trata de ganar o perder, Manolo. Estábamos juntos en un asunto y lo mismo me podía haber tocado a mí.

—Te puede tocar todavía; no tienes por qué ser la primera en todo. Además, si te hubiera tocado a ti, a lo mejor quien estaría llorando aquí en este momento sería Luis Mary. Lo que quisiera saber es a quién puedo acudir yo para que se haga cargo de mi dolor, porque parezco el idiota de la familia.

—Había olvidado —dijo levantándose— que delante de ti sólo se puede hablar de Manolo Ge Urbina. Espero que hayas llegado a ser un experto en el tema.

—Si conociera un poco ese tema, no te habría perdido —dije cogiéndola por los hombros, asqueado de representar esa escena que se ajustaba a los modelos de comportamiento sentimental que más odio.

Ella acercó su cabeza a mi pecho y rompió a llorar de nuevo. Sin embargo, este segundo llanto era más falso que la moqueta de mi apartamento. Pensé que sería mejor entenderse con un lenguaje así, en el que los llantos de ella

ocultaran su desafecto y en el que mis insultos ocuparan el lugar de los besos.

—Siéntate y cuéntame la historia.

—Luis Mary se casó hace un año —dijo mientras fingía reprimir los falsos gemidos— con una médico. Los amigos no comprendimos bien aquella boda, pero con el paso del tiempo vimos que las cosas iban bien, excepto que a Luis Mary se le veía algo nervioso, como si estuviera en un estado de alerta permanente: al acecho de algo más que a su defensa. Por esa época, como a los tres meses de su boda, empecé a verle con alguna frecuencia. Me propuso un par de trabajos relacionados con laboratorios químicos y productos farmacéuticos, pero no le hice mucho caso. De todos modos, continuamos viéndonos cada vez más seguido. Ultimamente, se quedaba a dormir en mi casa algunas noches.

En este punto volvió a sollozar, pero ahora los sollozos preludiaban o intentaban contener un llanto tan verdadero como mi ruina moral. Dije:

—No es preciso que cuentes anécdotas laterales. Dime si el asunto tiene que ver con unos laboratorios llamados Basedow, una revista titulada *Hipófisis,* un sujeto portador de una navaja de quince centímetros y una cartera que se podría dividir para venderla en parcelas.

—Sí. Luis Mary me contó que os habíais visto y la aventura de aquella tarde en el teleférico. Por eso he venido, por si le habías vuelto a ver y te había contado algo más.

—No volví a saber nada de él. Y lo que queda por añadir a mi breve relato es la imagen de Luis Mary y yo golpeados contra unas máquinas tragaperras. Con risas al fondo.

TUS
LIBROS

—Verás —dijo ella—, estaba investigando algo que valía muchos millones. Se trataba de un fraude que los laboratorios Basedow habían hecho a Hacienda. Como sabes, el Estado da al que denuncia esta clase de delitos el treinta por ciento de la cantidad recaudada gracias a la denuncia. El porcentaje por el fraude de los laboratorios Basedow podía suponer unos veinte millones de pesetas. A Luis Mary sólo le faltaba conseguir algunas pruebas.

—Si la cosa fuera así de fácil, Teresa, mañana mismo me iba a recoger las pruebas de fraude a la Hacienda Pública de una multinacional cualquiera. ¿Sabes ya en qué sección o departamento expiden los certificados de estafa esta clase de empresas?

En ese momento me di cuenta de que estaba imitando a Luis Mary. Sus torpes sarcasmos, sus gestos, su memoria tal vez. Ella dijo:

—No seas irónico. Pareces Luis Ma...

—Continúa —dije.

—Bien, Luis Mary tenía ya algunas pruebas, casi todas. Trabajó para los laboratorios una temporada.

—¿Por qué lo dejó?

—Le despidieron. Había llegado a saber muchas cosas.

—¿Quién le colocó ahí?

—Su mujer.

—Casado y trabajando. Esa mezcla de obligaciones en un temperamento como el de Luis Mary puede conducir al suicidio.

—Siempre tuve la sospecha de que se metió en esos laboratorios para conseguirle algo a su mujer.

—¿Qué clase de algo?

—No sé. Documentos o información.

—Y buscando eso se encontró con lo otro, con el asunto de los veinte millones.

—Eso creo. Yo le ayudaba en sus pesquisas, pero nunca llegó a contármelo todo.

—¿Cómo se llama su mujer?

—Carolina, Carolina Orúe.

—El nombre no nos ayuda mucho, pero es bonito. Toma, apúntame la dirección de su consulta y de su casa. Le mandaré el pésame. Ahora dime por qué no has avisado a la policía.

—Lo hice, pero no quisieron saber nada sobre el tema. El encargado del caso es un inspector que está a punto de jubilarse y no quiere ningún follón. De manera que se agarra como una lapa al informe del forense, según el cual no hay duda de que fue un suicidio.

—¿Cómo se supone que lo hizo?

—Ahorcado de una cuerda, en el salón de su casa.

—¿Quién lo encontró?

—Carolina, al volver de la consulta.

—¿Cuándo?

—Ayer.

—Bueno, y ahora qué hago con estos datos.

—No sé; confiaba en que te hubiera dado a ti algo para que se lo guardaras aquella tarde. Un portafolios o unos documentos...

—No me dio nada y, si te dijo lo contrario, mentía para ocultarte que no lo había conseguido. De todos modos, déjame pensar. ¿Cuándo es el entierro?

—Mañana, a las diez y media.

—Bien, nos vemos en el cementerio y hablamos, a ver si se nos ocurre. ¿Tienes tú el resto de los documentos?

—Sí, tengo en casa un maletín que me dio a guardar Luis Mary. Estaba con él en esto al cincuenta por ciento.

—Entonces, a lo mejor llorabas por el dinero. Eso me parece más sensato.

Me miró con un gesto en el que había un cincuenta por ciento de desdén y un cincuenta por ciento de lástima. Yo me dulcifiqué un poco. Dije:

—Quédate a dormir.

—Hoy, no —respondió y se fue.

Yo me lavé los dientes, recogí el insomnio de la mesilla y me metí con él en la cama. Al cerrar los ojos, escuché el termostato de la nevera y el ruido del motor, que venía a despertarme de dos a tres veces en aquellas noches que me acostaba sin el insomnio puesto.

## *Cuatro*

El entierro fue digno de Luis Mary: un frío despiadado, un cementerio civil, siete barbudos mal vestidos, un sepulturero asmático, dos niños que venían con una señora enigmática, un fumador de puros con abdomen autónomo y yo que, con los niños y los barbudos, formaba el único grupo no esdrújulo de aquel conjunto. Más tarde llegaron dos filólogos, que seguramente habían estudiado la lengua de Luis Mary durante la autopsia, tres videntes y un traficante de heroína. Ninguno de ellos era portador de un cartel visible que delatara su profesión; es que Teresa vino junto a mí y me fue diciendo algunas de las características

principales de los personajes más notables que acudían al entierro. Por si alguien ha llegado tarde, repetiré que el muerto fue muy importante en mi vida. Eramos, más que amigos, los amigos. No diré que a causa de él he llegado a ser todo cuanto más odio, pero se comprenderá mi posición de desventaja en aquella inolvidable amistad si añado que él tenía todo cuanto yo más envidiaba, mientras que yo era poseedor de todo aquello que más despreciaba él.

—¿Y quién es la del vestido negro que está junto a los padres de Luis Mary? —pregunté.

—Carolina, la viuda.

Lo dijo en un tono rencoroso, como si el papel de viuda le correspondiera a ella.

—Es muy guapa —añadí.

—Sí —concedió Teresa.

—En cuanto lo cubran nos largamos —dije—. Paso un momento por la revista y después empezamos la investigación.

—Vámonos ya. Prefiero no verlo —musitó ella.

Conseguimos un taxi en la puerta del cementerio. El taxista era muy alegre y, como advirtió que veníamos de un entierro, nos proporcionó toda clase de historias relacionadas con las conducciones de cadáveres. Finalmente, se mostró partidario de la cremación, aunque nos advirtió que el horno del cementerio de Madrid estaba mal hecho y que por la chimenea salían olores a churrasco, como los que se respiran en los restaurantes caros de la carretera de Barcelona. Esto era malo, decía el taxista, porque tales efluvios producen en los familiares que asisten a la cremación un aumento de los jugos gástricos, que estimula la sensación de hambre. Luego, los familiares se sienten culpables de haber

tenido ese movimiento involuntario y caen en profundas depresiones. Sabía de un caso, añadió, de un señor de Guadalajara, vecino de un cuñado de su hermano, que no volvió a probar la carne después de asistir a la cremación de su suegro.

Estuve por proponerle un reportaje, pero ya habíamos llegado a la revista y además Teresa tenía mala cara.

—Subo un momento a ver al redactor jefe y bajo en seguida. Tú espérame aquí.

—Vale.

El redactor jefe estuvo muy comprensivo. Le dije:

—Chico, que se ha muerto un amigo mío y vengo ahora del entierro.

—¿Cáncer?

—No. Mira, me tengo que ir ya mismo. La viuda está destrozada y no me parece bien dejarla en unos momentos así.

—¿Accidente de coche?

—No. Así que me voy a acercar a su casa para acompañarla un rato.

—¿Infarto?

—No —dije, y advertí que sólo escuchaba la parte de mi respuesta que se refería a su pregunta.

Decidí comprobarlo de todos modos y añadí:

—¿Crees que debo llevar unos pasteles o una botella de vino?

—¿Pero tú te has vuelto idiota o es que crees que vas a una fiesta? ¿De qué se ha muerto?

—No.

—¿No qué?

—Que no me he vuelto idiota. No conoces tu propia

técnica. He contestado sólo a la primera parte de tu pregunta.

—Muy gracioso. Y de qué se ha muerto.

—De un suicidio; en la garganta.

—¿Cuerda?

—Sí.

—Vaya, eso es peor.

No me explicó por qué era peor ni en relación a qué lo consideraba más malo. Yo aproveché la coyuntura y dije:

—Entonces, me voy ahora mismo.

—Pero mañana, a las nueve en punto, aquí. Tienes que llenar dos páginas de cualquier cosa.

—Vale, no te preocupes.

—Oye, por cierto, que si quieres incluimos en la sección de necrológicas a tu amigo, ocultando lo del suicidio, claro. A los familiares les suele gustar eso; es como si su hijo hubiera tenido amigos importantes.

Pensé que todos ejercemos la piedad con aquello que nos cuesta más barato. Tras la reflexión, añadí:

—Yo mismo redactaré la nota.

Teresa continuaba abajo. La observé sin que me viera antes de salir. Era otoño y estábamos juntos. Presentí que durante algún tiempo, quisiera o no, permanecería atada a mí y esa seguridad me proporcionó cierta euforia.

—Bueno, ya estoy libre. ¿Por dónde empezamos? —pregunté.

—No sé; no puedo pensar ahora.

—Está bien, vamos a tomar algo.

—Perdona, no podría comer nada.

—Dime qué es lo que podrías hacer. A mí me van a

descontar de mi salario unas cuantas horas y me gustaría saber en qué las estoy invirtiendo.

Pensé que se iba a poner a llorar. Pero no: afiló los ojos hasta alcanzar el dudoso espesor de una cuchilla y me contestó:

—En el culto a ti mismo, Manolo Gurbina. Y no creo que hayas comprado nunca tanto por tan poco.

Como se ve, nuestra forma de agredirnos era tan directa como el espinazo de una cobra en actitud de reposo. Si nos hubiéramos podido insultar como el común de los humanos, ah, si hubiera podido llamarle alguna vez traidora, imbécil, puta, y, ella a mí, chulo, bobo, cabrón... La miré y sentí que la nostalgia de un sueño me roía el estómago.

—Qué raros somos —dije.

Y eso fue todo.

Después cogimos un taxi y fuimos al piso de Teresa. En realidad, se trataba de un pequeño apartamento peor equipado que el mío.

—¿De qué vives? —pregunté.

—De aquí y de allá. Ahora estoy en el paro.

El desorden de muebles, libros y otros objetos alcanzaba la altura de un enano por cada metro cuadrado de piso.

—Deberías limpiar un poco —aconsejé.

—Sacar brillo a la mierda es un trabajo de obsesos, Manolog. Eso es lo que tú harás toda tu vida, pero somos distintos unos de otros.

—Cada uno limpia lo que tiene, Teresa. Dame el maletín del que me hablaste. Estudiaré la documentación y te llamaré mañana o pasado, a ver si estamos más tratables los dos.

Me fui con una cartera tan grande como la de Campuza-

TUS
LIBROS

no. Cogí el metro, subí a mi casa y la abrí. Había facturas, correspondencia interna, correspondencia externa, albaranes, notas, subterfugios, el rosario de mi madre y más de medio kilo en billetes de cinco mil (seiscientas mil pesetas, para ser exactos). Escondí el medio kilo en el cubo de la basura, metí en un cajón del aparador el rosario de mi madre y destruí los subterfugios. Lo que quedaba eran facturas, correspondencia interna, correspondencia externa, albaranes y notas. Empecé por las últimas. Una de ellas decía: «Presionar a Campuzano en el asunto de *Hipófisis*». Busqué en el diccionario hipófisis; decía: «Glándula u órgano de secreción interna situada en la base del cráneo». No entendía nada. Más tarde me acordé de que el tal Campuzano dirigía una revista médica con ese nombre. El resto de las notas era confuso y procedía de distintos puños, aunque predominaba el de mi amigo.

Algo decepcionado pasé a la correspondencia externa, pero estaba casi toda en inglés. Llegué a la interna: se refería a cuestiones domésticas de los laboratorios Basedow y su contenido no era más inteligente ni tampoco más divertido que el que suelen producir los jefes de personal de todas las empresas del mundo. En cuanto a las facturas y los albaranes, estaban escritos en un lenguaje alfanumérico que escapaba por completo a mi comprensión.

Tuve un impulso y telefoneé a Teresa. Le dije:

—Oye, lamento haber estado tan agresivo contigo. Pero no puedo estar de otro modo, ¿comprendes?

—No te preocupes. ¿Has visto los papeles?

—Sí.

—¿Y qué?

—Bueno, hay algunas notas de Luis Mary, unas facturas

que seguramente gozan de una contabilidad secreta y, luego, papeles; ya sabes: correspondencia interna, correspondencia externa, albaranes, subterfugios y el rosario de mi madre (me callé el medio kilo).

Teresa se rió y dijo algo que pretendía ser cariñoso.

—En serio —añadí—, esto hay que estudiarlo despacio. Te llamaba para otra cosa.

—Tú dirás.

—¿Sabes que, si se aceptara la hipótesis de que Luis Mary no se suicidó, tú serías una de las primeras sospechosas?

Oí trotar el silencio a lo largo del cable. Finalmente, dijo:

—¿Por qué dices eso?

—Bueno, teníais una relación extraña. Ibais a repartiros veinte kilos, y a lo mejor comenzaste a pensar que qué estabas haciendo tú para merecer la mitad de eso, excepto guardar una cartera de papeles que por ti misma no sabrías utilizar. Desaparecido él, y teniendo todos los papeles en tu mano, no sé, me imagino que no tendrías más que ir al inspector de Hacienda y pasarle el «dossier».

—Mira, Manolo, si sigues diciendo esas tonterías, es mejor que no me ayudes a nada. Quizá a ti te dé igual que Luis Mary se suicidara o que lo mataran. Pero a mí, no. Creo que entre matarse y ser matado hay una diferencia que cualquier buen amigo debería intentar recorrer.

—Está bien, olvídalo. Otra cosa, ¿has estudiado tú los papeles?

—No, te he entregado la cartera tal como me la dio a mí Luis Mary.

—¿Ni siquiera le echaste un vistazo por curiosidad?

—Ya te digo que no. Estaba llena de papeles incomprensibles para mí. ¿Por qué lo dices?

—Por nada. Voy a empezar a moverme. Ya te llamaré, ¿de acuerdo?

—De acuerdo. Un beso, Manolo.

—Gracias, Teresa, y perdona mi actitud de estos días.

Colgué. Telefoneé a la revista. Pregunté por Fernando, el especialista en temas económicos. Era uno de mi promoción, algo indeseable como todos nosotros, pero buen profesional. Presumía de tener un amigo que aún era capaz de emitir opiniones personales. Hablar con él era siempre difícil, porque te obligaba a utilizar el código que su particular locura imponía.

—Hola, Fernando. Soy Manolo G. Urbina. Tienes un minuto para contestarme a la siguiente pregunta: ¿Qué son los laboratorios Basedow?

—Una empresa de productos farmacéuticos legalmente constituida. O sea, una organización mercantil e industrial. ¿Quieres que te averigüe su número de registro? Me deben de quedar aún cincuenta segundos.

Pensé que antes de interrogar a Fernando debería haber elaborado un cuestionario.

—¿Se trata de una multinacional?

—¿Y cuál no, Manolo?

—Bueno, ¿y tú qué piensas?

—¿Sobre las multinacionales?

—No, hombre, sobre los laboratorios Basedow.

—Yo no pienso nada. Os tengo dicho a todos que hace años que no pienso. Pero, si te interesa la opinión de un amigo mío, esos laboratorios tienen una estructura organizativa un poco rara.

—¿A qué se refiere lo de la estructura organizativa?

—Según mi amigo, con esas dos palabras se intenta designar el conjunto de...

—Déjalo, déjalo —le interrumpí—. ¿Piensa tu amigo que las actividades que realiza esta empresa son notablemente más sucias que las del resto de esta clase de instituciones?

—Así es, Manolog —todos hacían siempre idénticos chistes con la G. de mi apellido.

—¿Sabes si tu amigo conoce a un tal Campuzano?

—Lo conocía. Acabo de arrancar un telex que no van a leer ni las ratas. Resulta que Campuzano, el director de la revista médica *Hipófisis,* financiada por los laboratorios Basedow, ha aparecido muerto esta mañana en su piso. Se especula con la posibilidad de un suicidio.

—Gracias. Te dejaré una documentación para que se la enseñes a tu amigo.

—A tu disposición y suerte en lo que estés.

Colgué. Fui hasta la cocina, empotrada en un lado del salón, y bebí dos vasos de agua. Al segundo le añadí un Alka-Seltzer. La cosa parecía grave; apenas comenzada mi investigación, ya se había cometido un crimen.

Coloqué en posición de cierre la cadena de seguridad de la puerta. Miré la hora. Quité la cadena de seguridad. Me fui a la calle; compré una bolsa de plástico con cremallera hermética y llegué, justo antes de que cerraran, a una tienda de artículos de broma y magia, donde adquirí un cuchillo falso y una mancha de sangre sintética. El cuchillo estaba partido y tenía unidas sus dos partes por un semicírculo de alambre, como ésos que utilizan en el cine los actores destinados a morir. Comí en una cafetería y volví a casa.

Guardé el dinero dentro de la bolsa de plástico y la oculté en la cisterna del retrete. El cuchillo lo coloqué en la mesilla de noche, junto al teléfono, y en el cajón de la misma, al lado del insomnio, metí la mancha de sangre. Después me eché sobre la cama y me quedé dormido con el asa de la cartera en la mano.

# *Cinco*

Me desperté a las seis de la tarde. Nadie había intentado asesinarme. Tomé dos Alka-Seltzers, el segundo diluido en un vaso de agua. Cogí la cartera con los documentos y me marché a la calle. Saqué siete mil pesetas de fotocopias. Fui a la redacción y dejé los duplicados sobre la mesa de Fernando (los originales, con la cartera, los metí en un cajón de mi mesa). Eran las siete y diez y ya había anochecido. Cogí un taxi y di un número del Paseo de Rosales, que correspondía con el del consultorio de Carolina. Cuando llegué, advertí que el portal era el mismo del que había salido Campuzano con su cartera aquella fatídica tarde de

verano. Sabía por los libros que, apenas comenzada la investigación de un crimen, uno se encuentra con multitud de coincidencias que las más de las veces no deben de tener ningún significado. Esta, sin embargo, sí debía tenerlo, pues Campuzano representaba a unos laboratorios farmacéuticos y en el tercer piso había una consulta médica:

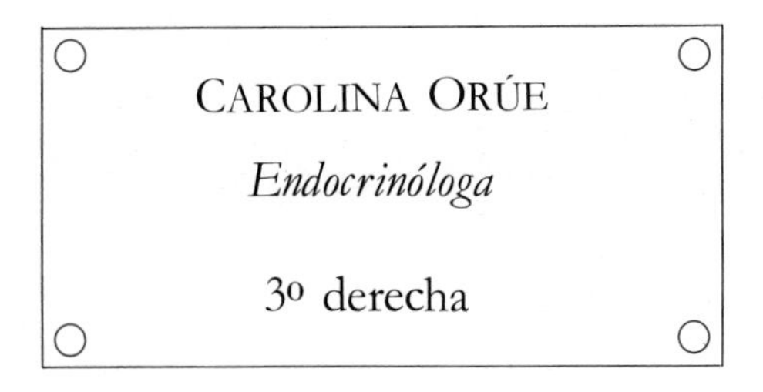


La enfermera estaba un poco seca, pero bien moldeada. Era uno de esos personajes de labio fino y gestos fugaces que han conseguido monopolizar todos los puestos de trabajo relacionados con el ejercicio de la medicina. Me dijo que la doctora no recibía sino bajo petición previa de hora.

La miré y callé unos segundos. Después sonreí. Dije:

—¿Le quedan aún muchos pacientes?

—Está con el último, pero ya digo que hoy no puede atenderle.

Compuse un gesto algo afectado. Rogué:

—Oh, pídaselo por favor, que es urgente.

No sonrió, pero me invitó a pasar. Fue sencillo: hacía algún tiempo que sabía que uno puede llegar a gustar a todas las mujeres a condición de no gustar a la única a la que uno quisiera gustar.

Tomé asiento con mucho gusto.

No había revistas sobre la mesa. La consulta era

TUS
LIBROS

demasiado lujosa para una médico de treinta y cinco o treinta y siete años. Recordé a Carolina junto a los padres de Luis esa misma mañana. Seguramente era guapa, pero yo me había fijado sobre todo en su melena, corta y con las puntas hacia adentro, que me debía remitir a una fijación adolescente. Esa clase de melena y una falda plisada era todo cuanto yo necesitaba ver en una mujer para invitarla a una copa. Si a eso añadía el prestigio de ser la viuda de Luis Mary, creo que mi generosidad alcanzaría para pagar una cena en un buen restaurante.

Al poco, y sin que hubiera visto salir a nadie, la enfermera me invitó a pasar. Carolina me recibió de pie en el centro del despacho. Tras darme la mano, fue a refugiarse en su sillón, al otro lado de la mesa. No llevaba falda plisada, aunque conservaba la melena. Su camisa, de seda negra, era la misma que le vi a Luis Mary la tarde que nos encontramos. A ella le quedaba muy bien.

Se volvió sobre el fichero, a su derecha, y colocó un dedo extendido sobre el borde de las tarjetas.

—¿Su nombre? —preguntó.

—Es la primera vez que vengo.

—Perdone, su cara me resultaba conocida.

—Nos hemos visto esta mañana. En un entierro.

Esperé alguna reacción convertible en sospecha. Pero no hubo nada. Había hecho con sus manos una plataforma para apoyar la barbilla y desde allí sus labios me sonreían tristemente. Sus largos dedos se movían despacio por debajo de esa plataforma ejerciendo sobre mí el efecto de un péndulo en manos de un hipnotizador.

—¿En qué puedo ayudarle? —dijo al fin.

—Pensé que no la iba a encontrar aquí.

—¿Me buscó antes en otro sitio?

—No.

—¿Entonces?

Me sentí como un ogro dejándose vapulear por un enano. Adopté un gesto de cansancio y dije:

—No es muy normal pasar consulta el mismo día que entierran al marido de una, ¿verdad?

Parpadeó y temí que tal gesto anunciara una alteración grave en la prodigiosa mecánica de aquel ser. No fue así; me miró de forma aún más penetrante y dijo:

—¿Usted qué cree?

—Bueno, creo que no.

—¿De manera que usted no pasaría consulta a los dos días de quedarse viuda? —preguntó.

—No —respondí inquieto.

—¿Y por qué?

Estaba desconcertado por su seriedad. Dije:

—Porque no soy doctora.

Ella afiló los ojos, frunció las cejas y apretó los labios, componiendo de este modo la expresión de quien por fin ha conseguido entender algo difícil. Yo intenté reírme para ver si con la risa era capaz de escapar a ese diálogo circular. No pude. Pensé que debería aguantar el tipo hasta encontrar una salida.

—Esta conversación no nos lleva a ningún sitio —dije.

—Yo no podría ir hoy de todos modos —respondió.

—¿Acaso cree que soy de la policía? —pregunté.

Se echó a reír descaradamente y, todavía no sé si para halagarme o para seguir agrediéndome, dijo:

—No, no, podría ser usted cualquier cosa menos policía.

—Fui amigo de Luis Mary —expresé con un gesto de amargura que podía tener diferentes significados alternativos.

—¿Cómo te llamas? —preguntó descendiendo al tuteo con la ingravidez de una pluma.

—Manolo.

—¿Manolo Gurbina?

—Sí —contesté resignado.

La seda negra de su camisa resbalaba sobre su ropa interior, que era blanca, según había podido observar por el escote cuando ella se reía. Tal roce despertaba en mí algunas ansiedades básicas que estaban consiguiendo alterar el normal funcionamiento de mi comportamiento emotivo.

—¿Podemos hablar fuera de aquí? —dije.

—Sí —contestó ella divertida—. Eras mi último paciente de esta tarde.

Frente a la mirada rencorosa de la enfermera, le ayudé a envolverse en una enorme capa con forma de pétalo.

Nos metimos en una cafetería bastante lujosa. Ella dijo que tenía un hambre feroz y pidió tortitas con nata y café con leche. A mí me trajeron un Ginger Ale con whisky, aunque lo que me apetecía era un cuba-libre de ron. Me pareció, sin embargo, que el Ginger Ale, frente a las tortitas de ella, valoraría mejor que el cuba-libre la zona que ocupaban mis manos. Para entonces, la tormenta se había desatado ya en mi pecho; las compuertas habían saltado en mil pedazos por la presión de las emociones y yo andaba a la deriva, entre su taza de café y mi copa, con quince años menos de experiencia. O sea, que estaba a punto de comportarme como un adolescente ante la hermana mayor de su mejor amigo. La imagen de Teresa se paseó un

momento por la zona más caliente del conflicto, y yo tomé un trago del potingue dorado dispuesto a no ceder a aquello, ternura o pasión, en lo que un hombre sólo puede darse el lujo de fracasar una vez en la vida.

—Tú eres periodista, ¿no?

—Sí —respondí.

—Luis Mary contaba muchas historias tuyas. Al principio de oírselas, me pareció que era muy poco respetuoso contigo. Pero luego advertí que te tenía un cariño excesivo, que no sabía cómo manejar. Cuando más cruel era, más dominado se sentía por el afecto.

—Tú no pareces haber lamentado mucho su muerte.

—No seas mojigato. Todo el mundo sabe que llevábamos vidas muy independientes. El andaba buscándose algo así para acabar y lo encontró relativamente pronto. Lamento su muerte en forma muy abstracta, como el viaje de un amigo, pero no me siento obligada a modificar mis hábitos ni a mostrarme triste.

—¿Por qué os casasteis?

—Por cuestiones privadas, naturalmente. En cualquier caso, éramos dos personas maduras y ambos sabíamos lo que el otro nos podía dar y a qué precio.

—Esa frase es muy fría.

Sonrió.

—Ponle tú un poco de música si quieres.

—¿Crees que se suicidó?

—¿Qué más da que se matara a sí mismo o que pusiera a otro en situación de matarlo? En los dos casos, el agente provocador sería él. A mí me parece un tanto ñoño y muy peliculero eso de andar a la búsqueda del asesino de un amigo suicida.

Anoté el insulto en la cuenta que acababa de abrirle y continué con mi investigación:

—¿Entonces crees que lo mataron?

—No lo sé, pero ya te digo que la diferencia de sentido entre una cosa y otra no es más grande que la que hay entre una oración pasiva y su reflejo activo. Me da igual, aunque ya sé que hay por ahí una amiga vuestra, Teresa, que quiere que esto sea un asesinato.

Pedí otra copa y ella me acompañó con un coñac caliente que aumentó la nota más de lo previsto para esta clase de situaciones sin falda plisada.

—¿Y qué hay de Campuzano? —pregunté.

—No sé. ¿Le pasa algo?

—Ya no. Ha muerto. ¿Lo conocías?

—Claro. Fue jefe del departamento de relaciones externas de los laboratorios Basedow. Era un hombre muy competente. Ahora dirigía una revista médica.

—¿*Hipófisis*?

—Sí.

—¿Por qué ese nombre?

—Supongo que porque dedicaba más espacio a la endocrinología que a otras especialidades.

—Sospecho que Campuzano también ha sido asesinado —dije—. Si es así, quizás te encuentres en peligro.

Enderezó su cuerpo produciendo reflejos con volumen sobre la superficie de la seda negra de su camisa, y agachó la cabeza permitiendo que el pelo, en crenchas, ocultara su rostro. El efecto conseguido era excelente, porque de una postura como ésa se puede salir en cualquier dirección. Salió riendo de un modo un tanto provocativo, o eso me pareció a mí, impaciente como estaba por que me provocara.

—No te preocupes por mí —dijo—. La mayoría de las veces no tiran a dar.

—¿Qué quieres decir?

—Nada —contestó mirándome con expresión ausente, como cuando se habla con alguien cuya ignorancia básica sobre la crueldad de la vida produce escalofríos. Y añadió seduciéndome—: Eres un atolondrado. Por el modo en que preguntas las cosas se te podría contestar con la verdad o con un tiro de forma indistinta. ¿Te gusta apostarlo todo a cara o cruz?

Lamenté que mis reflejos no estuvieran a la altura de la imagen que se estaba haciendo de mí. Dije:

—No apuesto de ese modo porque me guste el riesgo, sino porque desconozco las reglas. Me ha pasado su juego un amigo al que se le hacía tarde para que lo mataran; tenía tanta prisa, que no pudo explicarme de qué iba la cosa.

Levanté una ceja para rubricar la frase y la miré directamente, muy serio, con intención de hacerla estremecer.

En seguida, comenzó a estremecerse de risa y yo me sentí un poco patético. Después encendió un cigarro en varios tiempos. Los movimientos de sus brazos, de sus hombros y de su cabeza producían a través de su piel ondas que iban a morir a la zona más abultada de la seda. Los dientes, perfectamente colocados, hacían —al moverse sus labios— el efecto de una joya engastada en un conjunto artístico de gran belleza. Era una mujer de plata y de marfil, tan frágil como un espejo, pero tan reflexiva y dura como su superficie.

—Está bien; preocúpate si quieres —dijo—, pero deja que sea yo quien señale los aspectos cómicos de este asunto.

Todas las cosas tienen un lado divertido, aunque ya comprendo que es difícil hacerse cargo de los dos al mismo tiempo. Y ahora, si me perdonas, tengo que irme.

Me pareció insoportable la idea de que me abandonara. Dije:

—Te acompaño, si quieres.

—Déjalo, tengo el coche cerca.

Se levantó, la envolví en la capa. Salimos. Había comenzado a lloviznar y eso amortiguaba el frío. Fui con ella hasta el coche. Mientras abría la puerta, dije:

—Por cierto, Carolina, ¿sabes algo de una novela que había escrito o estaba escribiendo Luis Mary?

—Oh —dijo ella—, se pasaba la vida amenazando con escribir una novela, pero yo no creo que hubiera pasado nunca del segundo folio. La disciplina no era una de sus virtudes. De todos modos, Luis Mary conservaba en la calle de La Palma una vieja buhardilla de su época de soltero donde solía pasar algunas tardes. Allí deben de estar sus cosas personales. Para mí resulta un poco desagradable, pero no tengo más remedio que ir algún día para hacerme cargo de todo. ¿Te importaría acompañarme? Tal vez encuentres los dos primeros folios de algo.

En ese momento supe que a Luis Mary lo habían matado, pues —conociéndole— resultaba difícil creer que se colgara en el salón de su casa familiar teniendo un agujero propio en algún sitio.

—Te acompañaré con mucho gusto —dije—. ¿Cuándo?

—¿Pasado mañana?

—Vale.

—Bueno, pues ven a buscarme a las ocho a la consulta.

—Hasta el jueves entonces, Carolina.

—Hasta el jueves.

Se metió en el coche y encendió el motor. Yo permanecí en la acera, bajo la débil lluvia, contemplando su sombra. Ella me miró, bajó la ventanilla y me invitó a agacharme. Creí que iba a darme un beso, pero me cogió el brazo con una mano cuyos dedos estaban llenos de bisutería cara y dijo:

—Hay una cosa, Manolo, ¿me ayudarás?

—Depende.

—Déjalo, entonces.

—Te ayudaré. Dime.

—Mira, yo sé que esa amiga vuestra, Teresa, tuvo relaciones con Luis Mary. Nunca me importó, pero es posible que Luis Mary le confiara alguna cosa que ahora me pertenece a mí. No puedo darte más explicaciones, pero me gustaría recuperar una cartera con cierta documentación y seiscientas mil pesetas en billetes de cinco mil. Es importante para mí y no sólo por el dinero. ¿Podrías mirar en casa de Teresa?

—Lo haré, no te preocupes.

—Gracias —dijo, y me besó de forma fugaz, como si sintiera que estaba abusando de un menor.

Se fue. Desde una cabina telefoneé a Teresa.

—Soy yo. Estamos todos en peligro —dije.

—¿Qué pasa? —preguntó.

—Se han cargado a Campuzano. ¿Quieres venirte unos días a mi casa?

Me pareció escuchar ruido de vasos.

Dijo:

—Estuvieron aquí esta tarde, mientras salía a hacer la compra. Han revuelto todo en busca de la cartera.

—¿Te han robado algo?

—Dos bragas y un sujetador.

—Entonces no es probable que vuelvan. Conozco a esa clase de obsesos.

—En cualquier caso, ya no tengo miedo, aunque tampoco me queda paz, Manolo. Todo se ha ido al cuerno con la muerte de Luis Mary.

Se echó a llorar y a mí no me quedaban más monedas. Fuera de la cabina, bajo un paraguas negro, había una pareja de jóvenes esperando a que yo terminara de hablar. Abrí la puerta con el pie y, tapando el auricular con la mano, dije dirigiéndome a él:

—Déjame una moneda, por favor.

El chico se metió la mano en el bolsillo de la gabardina y sacó una moneda de cinco duros. Dijo:

—Sólo tengo ésta y me hace falta a mí.

La agitación de Teresa crecía por momentos; estaba presa de un ataque de nervios. Yo ignoraba cuántos segundos faltaban para que se interrumpiera la comunicación. Volví a mirar al chico y dije angustiado:

—Te la compro.

Se observaron la chica y él con expresión avara. Ella dijo:

—Mil pesetas.

No discutí. Saqué el billete y se lo di a él.

Coloqué la moneda en la ranura. Respiré. Tapé de nuevo el auricular. Les dije:

—Cerdos.

Se marcharon riendo. Retiré el pie y me dediqué a Teresa.

—Escucha, no te pongas nerviosa. ¿Quieres que vaya?

—No. Bueno, sí. Haz lo que quieras.

—Cojo un taxi ahora mismo.

Colgué. El teléfono no se había tragado aún los cinco duros más caros de mi vida. Corrí hacia donde había ido la pareja. Los alcancé. Le agarré a él por las solapas del abrigo y no fue preciso hablar. Cogí el billete que me ofrecía y me largué.

—Por lo menos, devuélvenos los cinco duros —dijo ella.

—Iros a la mierda —murmuré, y detuve un taxi que pasaba en esos momentos.

# *Seis*

El taxi me costó cuatrocientas ochenta pesetas. En el ascensor calculé que la muerte de Luis Mary, entre taxis, invitaciones y horas de ausencia al trabajo, me estaba saliendo bastante cara. Decidí hacer una relación de gastos y cobrarme del medio kilo escondido en la cisterna. Quiero advertir que la idea me pareció mezquina, pero que la acepté porque forma parte de mi carácter esta inclinación hacia lo innoble que tanto detesto.

Encontré a Teresa llorando en el sofá, abrazada al teléfono. Junto a sus pies había un vaso volcado y una

botella de ginebra destapada. Le quité el teléfono y lo coloqué en su sitio. Después me senté a su lado y la tomé por los hombros. No lloraba de miedo, ni de lástima. Lloraba de rabia, porque cuanto estaba ocurriendo le parecía injusto.

—Es como si alguien estuviera empeñado en hacerme daño a mí personalmente —me explicó.

—Estás exagerando, Teresa. Las cosas ocurren, pero no ocurren contra ti ni contra mí; ocurren y a alguien le tiene que tocar.

—Oh, no empecemos a discutir.

Me levanté en silencio y fui al baño. Encontré en el botiquín un frasco de «valium»; pensé que con dos pastillas sería bastante. Regresé al salón.

—¿Has bebido mucha ginebra? —pregunté.

—No, un par de tragos.

—Bien. Entonces, mira, tómate estas pastillas y te metes en la cama. Procura descansar, con este estado de nervios no podemos hacer nada.

—¿Has averiguado algo? —preguntó tras coger las pastillas y tomárselas con otro trago de ginebra.

—Es pronto para empezar a atar cabos, pero no dejo de moverme. He visto a Carolina. Sospecha que tú tienes la cartera y pretende que yo la recupere para ella.

—¿Qué le has dicho? —preguntó inquieta.

—Nada. De momento estoy haciéndole creer que voy a ayudarle. Ya veremos. He quedado con ella el jueves para acompañarle a la buhardilla que tenía Luis Mary en la calle de La Palma.

—¿Aún no ha ido Carolina?

—Dice que no.

—Es mentira. Si tanto le preocupara esa cartera habría ido a mirar allí antes de decirte nada.

—Ya lo he pensado, pero le voy a seguir el juego, a ver qué pasa.

—Lleva cuidado, Manolo. Creo que esa mujer es una mala persona.

—¿Qué pensabas cuando me metiste en esto, que me iba a tener que mover entre monjitas y bondadosos padres de familia?

No contestó. Se levantó con dificultad y tambaleándose fue al cuarto y se metió en la cama. Estaba algo tocada del ala y temí que hubiera bebido más ginebra de la que había confesado. Me acerqué a la cabecera y me incliné sobre su rostro.

—¿No te desnudas? —pregunté.

—No, que esta noche he de asistir a un sueño de mucho vestir.

—¿Seguro que sólo habías tomado dos tragos?

—¿De qué?

—De ginebra.

—Ya te lo he dicho —respondió con grandes dificultades—; dos tragos. Lo que ocurre es que luego tú me has dado siete pastillas de «valium».

Deduje, pues, que se había tomado siete tragos de ginebra y las dos pastillas de «valium». Dormiría bien. La arropé y le di un beso en la frente. Después salí de allí con el gesto miserable de quien abandona su adolescencia en cualquier sitio.

Llovía con más intensidad. La calle estaba, pues, desierta y húmeda, como la vida de algunos. Caminé hacia San Bernardo y tomé un taxi.

Entré en mi apartamento con algunas precauciones, pero no ocurrió nada. Todo estaba en orden, si exceptuamos que en la taza del retrete, flotando sobre la superficie del agua, pude ver la boquilla de un cigarro cuya marca no era la mía. Inmediatamente miré dentro de la cisterna: el dinero seguía allí. Me felicité por haber dejado la cartera en la redacción y me lavé los dientes. Después me desnudé, encendí un cigarro y me eché sobre la cama. Eran las doce y media de la noche.

A las dos menos veinte el ascensor se detuvo en el tercero y escuché los pasos de dos o tres personas que se dirigían hacia la puerta de mi casa. En seguida cogí de la mesilla el cuchillo falso y la mancha de sangre sintética y me coloqué ambas cosas sobre el pecho desnudo. Mientras yo hacía esto, los dueños de los pasos manipulaban mi cerradura. Me coloqué atravesando diagonalmente la cama, de forma bastante espectacular pero cómoda.

Abrieron la puerta y entraron con sigilo. El haz de una linterna vaciló un par de veces en la puerta de mi cuarto. Permanecieron en el salón cuchicheando. Eran tres. Uno de ellos dijo:

—Venga, enciende la luz. Vamos a despertarle y que se dé un susto para que cante mejor.

Encendieron la luz del salón, que iluminó también parte de mi cuarto a través de la puerta. Después los oí acercarse. Uno de ellos dijo:

—¡Despierta, cerdo! —y encendió la luz.

Durante unos segundos se quedaron mudos ante el espectáculo.

—Yo me largo.

—Yo también.

Ahora parecían dos. No podía verles la cara. Finalmente se oyó al tercero:

—Esperad un momento.

Se acercó a mí y me tocó el hombro con cierta repugnancia.

—Está aún caliente. ¡Dita sea! Me parece que nos hemos quedado sin cartera.

—Vámonos ya, que nos cuelgan el mochuelo a nosotros.

—Sí. Aquí no hay nada que hacer.

Salieron. Respiré. Sudé de miedo. Encendí un cigarro. No pude dormir.

A las seis y media de la mañana aún no había amanecido, pero yo seguía despierto como un búho y preocupado como una lechuza. Me duché, me lavé la cabeza y me afeité. Calenté leche y me tomé un café con dexedrina. Delante de mí había una jornada masticable, hinchable y estirable. Una jornada de chicle, en suma.

Cuando llegué a la redacción aún no funcionaban los ascensores. Subí andando y me puse a trabajar. A las nueve llegó el redactor jefe. Le entregué dos folios de algo y sonrió satisfecho.

—¿A qué hora suele venir Fernando? —pregunté.

—Está ahí ya. Ha subido conmigo.

Me acerqué a su despacho y le sorprendí hurgándose las narices. No le importó.

—Estudia eso y nos vemos dentro de una hora —dije señalando las fotocopias.

—Vale, vale; ahora llamo a mi amigo.

—El tema de tu amigo empieza a resultar patético, Fernando. Inventa otra cosa.

—No se me ocurre.

Di la vuelta y salí. La redacción estaba a tope. Escribí siete pies de fotos y corregí dos pruebas. Volví al despacho de Fernando.

—¿Qué hay? —pregunté.

—Esto no vale nada, hijo. Ignoro lo que estabas buscando, pero te aseguro que no está aquí.

—¿Lo has estudiado bien? ¿No hay alguna factura o algún documento que haga a esos laboratorios sospechosos de algo?

—Nada, querido. Es todo tan inocente, simple y vacío como el cerebro de tu redactor jefe.

—Está bien. Gracias.

—Toma, llévate los papeles.

—Tíralos. De todos modos, tengo el original.

Todo este asunto había resultado confuso desde el principio, pero ahora me veía obligado a observar la confusión desde el lado de lo inexplicable. Durante una hora o dos anduve por la redacción un poco sorprendido de lo difícil que es llegar a saber la verdad de algo. Después fui al redactor jefe y le dije con gravedad:

—Tengo que irme.

—¿A dónde?

—Se trata de una cuestión personal.

—Bueno —dijo agachando la cabeza—, haz lo que quieras, pero a ver si se te pasa pronto la crisis.

Averigüé la dirección del difunto Campuzano. Salí a la calle y tomé un taxi. Fui. Una pequeña señora de negro, muy mayor, abrió la puerta y se me echó a llorar en el abdomen.

—¿Era usted compañero suyo? —preguntó hipando al tiempo que me introducía en la casa.

—Más que eso, señora —respondí—, éramos amigos.

La señora se colgó de mi brazo y lloriqueó sobre él mientras avanzábamos por el pasillo. Al fin, llegamos a una sala donde pude colocarme algo alejado de ella.

—¿Dónde está? —pregunté.

—No está aquí. Tuvieron que llevárselo para la autopsia. ¡Dios mío, qué vergüenza!

—Verá, señora, yo era amigo de su...

—Sobrino.

—De su sobrino. Gracias. Los dos, como periodistas, teníamos, aparte de nuestros deberes profesionales, una afición secreta: la poesía. El era un gran poeta, mejor que yo, y tengo interés en reunir algunas cosas suyas para publicarlas como homenaje póstumo.

La señora había dejado de llorar y me miraba atónita. Le parecía excesivo tener que añadir la condición de poeta de su sobrino a la triste vergüenza de su comportamiento suicida.

—No sabía nada —dijo.

—Bien, era una cosa muy privada. A los dos nos daba un poco de vergüenza... cosas íntimas, usted sabe.

—¿Pero la publicación de esas cosas no dañaría aún más la reputación de mi sobrino?

—Al contrario, señora. Servirá para revelarnos su humanidad, su grandeza de espíritu.

—¿Y no revelaría también sus debilidades?

—Las debilidades de un hombre, señora, constituyen su grandeza.

—Entonces, venga conmigo —dijo a modo de conclusión.

Me llevó a un despacho grande, algo desordenado.

—¿Sabe dónde guardaba sus cosas personales? —pregunté.

—Aquí está todo. Pero como él llevaba muchos asuntos, que era muy trabajador, no le sé decir aquí está esto y aquí lo otro —dijo y se echó a llorar.

Le ofrecí mi brazo como se ofrece un dedo a un periquito. Saltó sobre él y la llevé por el pasillo hasta la sala. Allí me la quité de encima y la dejé sobre un sofá lleno de almohadas. Volví al despacho y empecé a registrar la mesa. Como no sabía lo que andaba buscando, me dediqué a coger todo lo que estaba escrito, especialmente si se trataba de alguna clase de documento o factura. (Por cierto, que ignoro por qué esta clase de papeles me resultan siempre tan sospechosos.)

Cuando no me cabían más cosas en los bolsillos, me largué. Antes, quise despedirme de la señora, pero estaba dormida y me pareció más prudente dejarla así.

Cogí un taxi y le pedí al taxista que me llevara al cementerio.

—¿Algún familiar? —preguntó dispuesto a solidarizarse con la pena.

—No, una investigación.

—¿Es usted detective?

—Investigador privado.

—Vaya. ¡Qué emoción!

Bostecé intentando aparentar aburrimiento y el taxista, que tenía unas inclinaciones raras, dijo:

—Oiga, ¿qué es lo que usted lamenta más cuando ha resuelto un caso?

Me quedé pensativo, intentando ocultar con ese gesto el estupor que me produjo su pregunta. Al fin dije:

—Lo que más lamento es que debo volver a los autobuses y al metro. Mi sueldo no da para muchos taxis.

El taxista no volvió a decir nada y de ese modo pude pensar el resto del camino.

En el cementerio había mucho tráfico. El cadáver de Campuzano yacía en una capilla ardiente adosada a la sala de autopsias. Numeroso público. Curioseé un rato, pero no escuché nada interesante. Tampoco vi a nadie conocido, ni siquiera a los dos gorilas que jugaron con Luis Mary y conmigo la tarde del teleférico.

Al rato, las miradas de los deudos y amigos de Campuzano comenzaron a fijarse en mí impertinentemente. Por un momento temí que alguno de los presentes hubiera reconocido en mí al cadáver apuñalado de mi apartamento. Pero no; habían notado simplemente mi condición de intruso en aquel festejo fúnebre. Para romper esta tensión, me acerqué a un señor bajito, que era de los más tristes y que se parecía mucho a Campuzano. Le dije:

—Perdón, amigo. Deduzco que es usted su hermano.

—Sí —dijo.

Le estreché la mano componiendo un gesto de desolación.

—Gracias, gracias.

—¿Conoce ya los resultados de la autopsia?

—Todo parece indicar que se quitó la vida.

—Vaya. Por cierto, que quería decirle —añadí— si no sería conveniente que permaneciera alguien con su tía. Vengo ahora de verla y la pobre mujer está deshecha. Se la ve tan mayor...

—¿Pero estaba sola?

—Completamente.

—¡Por Dios! Me prometió mi hija que iría a hacerle compañía.

—Entonces estará al llegar.

Tras esta breve conversación, las miradas cambiaron de tono, y yo me sentí aceptado como uno más en aquella fiesta dolorosa.

Unos minutos más tarde estaba ya aburrido y cansado de permanecer allí. De manera que decidí fugarme antes del entierro. En actitud del que da un paseo me dirigí a la salida. Al llegar afuera, vi el coche de Carolina haciendo maniobras para aparcar. Carolina iba dentro. No dejé que advirtiera mi presencia. Salió del coche y se dirigió a la capilla ardiente. Desde lejos observé cómo un grupo de hombres con aspecto de ejecutivos la saludaban cortésmente al acercarse.

Comencé a atar cabos, a relacionar cosas, a sujetar en mi cabeza pequeñas intuiciones que, a modo de fogonazos, me conducían hacia el oscuro lugar del asesino.

Entretanto, un taxi me llevaba a casa, donde intentaría recuperar un poco del sueño perdido durante la noche.

# *Siete*

El intento fracasó. La dexedrina es para gente de ideas firmes: si te la tomas para no dormir, has de persistir en esa idea durante diez o doce horas. Me puse, pues, a revisar los papeles de Campuzano. La relación carece de interés, si exceptuamos que por ella se podía advertir que hay gente más prolija que un diccionario en tomos. Había facturas, cartas, planos, fotocopias y tarjetas de visita. Parecía coleccionar papeles con el mismo espíritu enfermizo con que otros coleccionan monedas. Sé que este impulso es enfermizo, porque yo mismo las colecciono y, cuando tengo en mis manos un nuevo ejemplar, lo acaricio como si estuviera

acariciando otra cosa. En rigor, esto lo hacemos todos los coleccionistas, pero ninguno de nosotros sabemos qué cosa ocultan nuestras colecciones para que las tratemos con ese cuidado.

Entre todas aquellas tonterías, me llamó la atención un pequeño muestrario de papel. Las muestras eran del tamaño de una postal y estaban unidas entre sí por una anilla de plástico. Observándolas detenidamente, daban la sensación de constituir un proceso a través del cual un papel basto y algo grueso iba adquiriendo, tras pasar por diferentes calidades, un tacto algo más frágil, pero poco común.

Entre las tarjetas, de todas las profesiones y colores, encontré una de Carolina. Algunos lazos comenzaban a afianzarse sin que por ello se iluminara el túnel donde permanecía agazapado el asesino. Después de revisar estos papeles, ya no tenía nada que hacer, excepto quedarme despierto hasta que se me pasara el efecto de la pastilla. Era uno de esos días en los que, debido a una rara conjunción de sucesos domésticos, la nevera estaba razonablemente provista de alimentos. Por desgracia, la dexedrina, tras dejarme insomne, me había arrebatado el apetito.

Me senté frente a la máquina de escribir y la golpeé hasta dejar lista la parte de arriba de este capítulo (los escritores siempre empiezan la casa por el tejado). Estaba tan nervioso, que se me había olvidado fumar desde el cementerio; de manera que dejé de escribir y me puse a fumar. Con el tabaco me llegaron un par de ideas al cerebro, pero estaban como liadas entre sí y hube de desenredarlas y colocar una fuera de la otra. Cuando lo conseguí, me di cuenta de que no eran buenas.

Esperé un poco más, pero fue inútil. La dexedrina no

aumenta la capacidad ideológica del individuo; lo que ocurre es que hace pasar varias veces, a gran velocidad, la misma idea. Decidí actuar. Cogí el teléfono, marqué:

—¿Teresa?

—Sí —respondió al otro lado alguien que dormía.

—Soy Manolo.

—Bueno.

Estaba dispuesta a darme la razón en todo con tal de conseguir unos segundos de sueño.

—Mira, necesito saber cómo se llama el inspector que se hizo cargo del caso. Tal vez le haga una visita.

Escuché un ruido y se interrumpió la comunicación. Me molestó su falta de colaboración, si bien yo era responsable de ella en dos «valium». Volví a marcar. Descolgaron a la señal número seis.

—Teresa, si no me ayudas, me retiro.

—Constantino Bárdenas —acertó a decir.

—¿Cárdenas? —insistí.

—No, Cárdenas, no; Cárdenas.

—Pues yo siempre te entiendo Cárdenas.

—Oh, déjame dormir.

La dejé dormir. La mesita sobre la que estaba el teléfono se había quedado llena de bárdenas. Le pasé un paño por encima y quedó como un zapato bien lustrado. De repente, me dieron ganas de hacer un poco de limpieza y me puse a ello en un estado de euforia incomprensible. La limpieza de la campana de la cocina, pese a utilizar en ella los productos más corrosivos, me llevó dos horas. La grasa y el polvo son los enemigos mortales del soltero. Si los dejas avanzar hasta un punto, su crecimiento es irreversible y no te queda otra que cambiar de piso.

Me duché, paseé por la casa, fumé. El día estaba nublado, con amenaza de lluvia. Revisé de nuevo las tarjetas de visita de Campuzano. Seleccioné una que decía:

JOSE MENENDEZ CUETO
Departamento de investigación sobre el papel
Laboratorios Basedow

Telefoneé a los laboratorios Basedow y pregunté por el sujeto.

—El señor Menéndez no ha venido todavía —me contestaron.

—Mire, señorita, es muy urgente. Llamo del Ministerio, soy ayudante del secretario, y tenemos que consultar una cosa con el señor Menéndez. ¿Podría darme su teléfono particular?

—Espere —dijo algo azorada.

La indecisión de la telefonista se prolongó durante algunos segundos. Finalmente, aunque algo insegura, me dio la información.

—Oiga —añadió todavía un poco preocupada—, ¿de qué Ministerio dijo que llamaba?

—No se lo dije, encanto, pero ponga el de Obras Públicas, por ejemplo.

—¿Cómo dice?

—Obras Públicas. Parece que el tal señor Menéndez ha encontrado una fórmula para mezclar la grava y el alquitrán del asfalto sin mancharse las manos.

—Ah —respondió algo más tranquila.

Colgué antes de que reaccionara y marqué el número del investigador. Estaba comiendo, pero conseguí que se pusiera.

—¿Señor Menéndez?

—Sí, yo mismo.

La expresión «yo mismo» me hizo gracia. Creí que no tendría dificultades con él.

—Buenas tardes, soy Manolo Ge Urbina, periodista y, accidentalmente, investigador privado.

—¿Cómo «accidentalmente»? —dijo para ganar tiempo.

—Lo digo en el sentido de que ha sido un accidente lo que me ha puesto en esta situación: un amigo mío que usted sin duda conocía ha sido asesinado. Se llamaba Luis María Ruiz.

El silencio se hizo un poco espeso en la otra casa. Esperé un poco y continué:

—También han matado a un enemigo mío, un tal Campuzano, que usted debió de conocer también.

—No sé de qué me habla. ¿Quién es usted?

—Manolo Ge Urbina. El Ge significa García. Soy periodista y, accidentalmente, investigador privado.

Temí que en su afán de ganar tiempo el individuo Menéndez volviera a preguntarme lo que significaba «accidentalmente». Pero me adelanté:

—Necesito hablar con usted.

—Señor Ge, usted y yo no tenemos nada de qué hablar.

—A mí me da lo mismo —dije golpeando al azar— entrevistarme con usted o con el director de personal de los laboratorios Basedow. Pero pensé que le hacía un favor dándole el privilegio de escoger.

Hubo un silencio muy breve, pero algo tenso, como el

que se produce en el póker cuando alguien mide las posibilidades de un farol bien engarzado.

—Está bien —dijo al fin—. Venga a mi casa ahora mismo. A las seis he de estar en los laboratorios.

Me dio la dirección. Colgué. Cogí la gabardina y me fui.

Los taxis son caros, pero cómodos. Llegué en seguida. Me abrió el mismo Menéndez y me condujo a través de un pasillo a su despacho. Escuché gritos infantiles provenientes de alguna zona de la enorme casa. A juzgar por los muebles, el científico, de unos cuarenta y cuatro años, había llegado muy alto en la vida, pero eso no había conseguido hacer de él un hombre de gusto. Era alto, corpulento, y llevaba pegado debajo de la nariz uno de esos bigotes con forma de cepillo que a mí siempre me han parecido lamentables.

—Siéntese, por favor —dijo con gravedad.

—Gracias —respondí, y me senté al otro lado de una mesa tallada.

—Usted dirá.

—Verá, señor Menéndez, hay en todo este asunto una serie de coincidencias que lo colocan a usted en una situación un poco delicada.

Me miró fríamente. Yo me callé, porque no estaba seguro de por dónde debía continuar. De repente, me pareció que el muestrario de papel carecía de importancia y que la relación entre éste y Menéndez era demasiado floja. Durante los segundos siguientes, continué callado. Confiaba en que él me indicara la dirección a seguir.

—¿Qué sabe usted? —preguntó.

La idea de que hubiera algo que saber volvió a animarme y decidí coger las riendas del diálogo:

—Señor Menéndez, usted no es quién para examinarme.

Si se porta bien, le dejaré colaborar conmigo. Si no, le enseñaré cierta documentación a un tal inspector Cárdenas. Claro que —continué tras una pausa— puedo llevarla al Ministerio de Hacienda y recibir una elevada recompensa.

Me callé para medir el efecto de mis palabras. El tal Menéndez parecía asombrado, pero no en el sentido que yo imaginaba. Lo advertí cuando añadí:

—Escuche, me importa un bledo que sus laboratorios estafen los millones que quieran a la Hacienda Pública. Lo que me parece de mal gusto es que por una tontería así maten a mis amigos. De manera que, si está usted calculando cuál es mi precio, me adelanto a decirle que a mí sólo me interesa el asesino, aunque de momento no me parece que sea incompatible la búsqueda de ambas cosas.

Cuando terminé de hablar, el gesto de asombro de Menéndez se había transformado ya en un rictus de incredulidad. Me miraba con la tolerancia de un verdugo y yo advertí que había metido la pata, aunque ignoraba cuál de ellas y en qué clase de agujero. Encendí un cigarro, nos miramos. Agaché la cabeza para expulsar la segunda bocanada y vi a través del hueco central de la mesa sus calcetines grises.

—Siga usted —dijo sonriendo.

—Tengo aquí una tarjeta de usted —dije enseñándosela—. La encontré entre los objetos de Campuzano. Detrás hay una nota escrita a bolígrafo que dice así. Leí: «Campuzano, consiga las tintas de la relación adjunta y hágalas llegar a la redacción de *Hipófisis*».

Lo miré para comprobar el efecto de mi nuevo golpe. De momento, mantuvo la sonrisa y no daba la sensación de sentirse molesto.

—Siga —dijo.

—He venido a verle al azar —concedí—. Un poco guiado por una especie de sugestión. Verá, primero me ha llamado la atención y me ha parecido muy poético que unos laboratorios farmacéuticos tengan un departamento dedicado a investigar el papel. Yo soy periodista y tengo algunas manías respecto al papel sobre el que escribo. No podría hacerlo con uno de distintas características.

Menéndez suavizó el rictus. Sin duda se sentía halagado por el modo en que yo valoraba su trabajo. Sonrió. Luego dijo:

—Ese departamento no es una exclusiva nuestra. Lo tienen todos los laboratorios del mundo, se dediquen o no a la elaboración de productos médicos. El Estado suele apoyar esta clase de investigaciones, bien directamente, bien en forma de desgravaciones fiscales. Además, dése cuenta de que nosotros vendemos tanto papel como medicinas. En efecto, cada uno de nuestros productos va metido en una caja de cartón y en todas ellas hay un papel más fino, el prospecto. El papel, pues, representa una parte importante de nuestro negocio. Cuanto más sepamos sobre él, más posibilidades tendremos de mejorar la presentación de nuestros productos reduciendo, sin embargo, los costos.

—Nunca hubiera imaginado —dije fingiendo asombro— que la actividad farmacéutica fuera una tapadera para vender papel.

—Todas lo son —dijo riendo francamente—. Su pescadero le vende con cada besugo unos cuantos gramos de papel de estraza. Y usted, como periodista, me obliga a comprarle una hoja cada vez que me vende un artículo.

Me pareció bien seguir exagerando y dije:

—En realidad, la vida toda es un montaje cuyo único objetivo es vender papel.

Esto último ya no le hizo gracia al tal Menéndez, por lo que comencé a pensar en otra cosa. Sin embargo, esta vez se adelantó él:

—Hay algo que me impresiona en usted —dijo con cierto misterio—, y es el rigor con el que se equivoca. Yo soy científico y le aseguro que sé valorar ese afán de método que subyace en cada uno de sus disparates. Ha venido a verme sin saber lo que quería encontrar y se va sin encontrar nada que le interese. Pero eso no parece hacerle perder la calma. Le admiro, pero le aconsejo que no se presente con tan poco respaldo en otros sitios. Podrían tratarle peor que yo.

El cinismo de la última de sus frases pertenecía a alguien con poder suficiente como para triturarme. Supe que estaba amenazado de muerte. Maldije la memoria de Luis Mary y me fui de allí todavía intacto, pero intentando conciliar la idea de mi fracaso con la idea de mi muerte.

En la calle, los transeúntes parecían dudar sobre el brillante asfalto, y la humedad se resumía en la pintura empañada de los coches. Las luces permanecían encendidas por la huelga y yo, «de corpore insepulto», con el gesto fatigado de un viudo reciente, comprobaba cómo todas las sucias calles de Madrid, todos los medios de transporte de Madrid, todos los días y todas las noches de Madrid, conducían indefectiblemente al sórdido apartamento de moqueta amarilla y cuadros de payaso donde me hacía viejo. Se me ocurrió una idea desagradable y decidí guardármela por si llegara a resultar graciosa al cabo de unos años.

# *Ocho*

Por fin, llegó el día siguiente llamado jueves. La noche del miércoles había dormido mal, en parte por los efectos secundarios de la dexedrina, pero también por el miedo de que los matones de la noche del martes volvieran a visitarme y me hicieran tragar el puñal falso y la sangre sintética. Suponía yo que a esas alturas todo el mundo del hampa madrileño sabría que se me había visto vivo y coleando en el entierro de Campuzano. La verdad es que pensé en irme a dormir a casa de mis padres, pero no había visto que ningún detective actuara así en las novelas ni en el cine. De modo que me encerré en mi cuarto y me acosté

abrazado al teléfono, confiando en que, si los oía llegar, me diera tiempo a llamar a la policía.

Sin embargo, no pasó nada excepto que yo me levanté como un cadáver profesional al que se le hubiera obligado a vivir tres días seguidos sin echar una pequeña muerte después de la carroña. O sea, que me encontraba en un estado de cansancio cercano a la hipnosis. Con movimientos mecánicos, ajenos al poder de mi voluntad, me preparé un café soluble en el agujero que el dueño de mi apartamento llamaba cocina. Mientras me lo tomaba algo más tarde con la mirada fija de las resacas, descubrí sobre la moqueta una suerte de hilo negro que parecía moverse. Me agaché y vi que se trataba de una hilera de hormigas diminutas que había llegado hasta allí procedente de algún punto cercano a la ventana que daba al patio. Se dirigían, sin que ninguna distracción turbara su empeño, al nicho que en otra parte hemos llamado agujero y también cocina. Al llegar allí, la fila se dividía en dos y las hormigas situadas en un punto impar de la hilera se escabullían por una rendija del suelo, mientras las otras trepaban por una pata de la nevera hasta alcanzar una juntura por la que penetraban al interior; una vez dentro, al parecer, morían. Encontré en el cajón de la fruta, de cuya limpieza no me había ocupado nunca, un número de cadáveres considerable que recogí y guardé en un envase de sucedáneo de caviar vacío.

Acabé el café y me senté a reflexionar unos instantes. Aquello parecía un ataque de «delirium tremens», pero al revés o al menos bastante disminuido. Se podría argumentar que en esa estación del año ya no quedan insectos visibles en ningún sitio, pero puedo refutar esa afirmación con un dato: el invierno pasado sufrí en este apartamento una invasión de cucarachas rubias, que observaban asimismo un comportamiento un tanto raro, al menos si tenemos en cuenta que la cantidad de sustancia gris que hay en el interior de esos animales sólo tiene de inteligente y de gris el color; lo demás es pura exageración dirigida a impresionar los temperamentos sensibles. Pues bien, estas cucarachas de las que hablo, y que todo el mundo juzgaba imaginarias cuando les contaba mi caso, son las famosas «cucarachas de moqueta», llamadas así porque en ese medio encuentran las condiciones idóneas precisas para subsistir. Al parecer, proceden de una mutación de la cucaracha vulgar en un esfuerzo por adaptarse al medio. Lo leí algo más tarde en una revista de divulgación científica. Recuerdo que era un domingo por la tarde y que en la radio daban un programa especial dedicado a los Beatles. Entonces, por hacer un experimento, pasé la aspiradora por toda la casa respetando, sin embargo, las zonas por donde ellas solían moverse. El resultado fue que a las tres horas había muerto el sesenta por ciento mientras que el cuarenta por ciento restante prolongaba su agonía venticuatro horas más. Escribí a la revista científica advirtiéndoles de este curioso modo de romper el equilibrio ecológico que era limpiar el polvo, pero todavía no me han contestado ni han publicado mi carta en los números posteriores.

Me marché a la redacción y estuve toda la mañana escribiendo las mentiras habituales, aunque creo que conseguí darles, debido a mi prolongada vigilia, un toque de ensueño o de irrealidad que no me disgustó del todo. Fernando vino a verme un par de veces con la intención de sonsacarme qué era lo que investigaba en relación a los laboratorios Basedow. La primera vez se conformó con una

mirada de cansancio; la segunda, hube de decirle directamente que se metiera en sus asuntos.

Telefoneé también a Teresa, que se encontraba en un estado de depresión cercano al hundimiento, y averigüé a través de ella la comisaría a la que estaba adscrito el inspector Bárdenas o Cárdenas, encargado del caso de Luis Mary. No conseguí localizarlo y quedé en llamar en otro momento. Opinaba yo que a esas alturas tenía en mi poder el número de datos suficiente para convencer a ese inspector de que la muerte de Luis Mary estaba rodeada de una cantidad de siniestros sucesos que deberían conducir a la reapertura del sumario. Para convencerme a mí mismo, hice un breve repaso mental de los hechos: aventura de Luis Mary y mía en el teleférico, muerte de Campuzano, visita de los matones a mi apartamento, registro en casa de Teresa, actitud de Menéndez Cueto, jefe de investigación sobre el papel, en la entrevista que mantuve con él, y, en fin, la no menos inquietante actividad de Carolina en relación a todo ese confuso acontecer. A todo ello se podía añadir la existencia de seiscientas mil pesetas en una cartera que parecía buscar todo el mundo.

Sí, efectivamente, era hora de ponerse en contacto con la policía, sobre todo porque mi propia integridad física, y quizá también la de Teresa, corría un peligro no imaginario. Durante algún tiempo, y mientras permanecía con la mirada fija en una foto cuyo pie tenía que escribir, pensé en el modo de exponer todo esto al inspector Constantino Bárdenas o Cárdenas, pero no pude concentrarme en ello porque sentía colocados sobre mí los ojos del redactor jefe que me miraba inquisitivamente, como si tratara de averiguar cuál sería mi próxima indisciplina laboral. Finalmente

pensé que quizá lo más operativo sería dejarle al inspector el relato que había comenzado a escribir sobre la muerte de mi amigo. El pensamiento de que mi original, todavía incompleto, pudiera tener ya un primer lector restauró algunos puntos muy dañados del lienzo donde reposaba desde la adolescencia, y en pésimas condiciones de almacenamiento, mi vanidad de escritor. Ello me infundió ánimos y en seguida conseguí inventar un romance como complemento a la foto que tenía sobre la mesa y en la que aparecía una famosa actriz, entrada en años, bailando en una discoteca con un muchacho que podría haber sido su hijo.

Pero lo importante de todo esto, que narro con desgana en la tibieza infernal de mi apartamento, no es cada hecho considerado en sí mismo, sino que todos ellos —al transcurrir de forma sucesiva— conducían indefectiblemente a las ocho de la tarde, momento en que yo debería encontrarme con Carolina, la viuda de mi amigo, la mujer de marfil que había despertado en mí las ansiedades básicas que todo hombre maduro y solitario sueña poder sentir antes de que sea demasiado tarde.

Después de comer me di un baño, me perfumé y me quedé dormido sobre la máquina de escribir. Cuando desperté eran las siete y cuarto de la tarde. Me lavé la cara, me perfumé otra vez y cogí tres billetes de cinco mil de la bolsa donde estaba escondido el dinero. Después dudé entre la gabardina y el abrigo inclinándome al fin por la primera.

Conseguí un taxi en la esquina de Cartagena y a las ocho menos diez llegaba a la consulta.

—Me están esperando —dije a la enfermera con una sonrisa maliciosa.

—Pase a la sala y siéntese —contestó sin mirarme.

Cuando Carolina acabó con su último paciente eran las ocho y diez pasadas. Llevaba ese día un vestido de lana gris con un escote en pico por cuyos límites flameaba el estampado de un breve pañuelo. Sobre ese vestido se colocó la capa con forma de pétalo que ya ha salido en otro lugar de este relato, y me llevó en su coche por un Madrid anochecido hacia el refugio que perteneciera en vida a mi amigo Luis Mary. Cuánto la quise yo en esos momentos. Me pareció que ella era la primera aventura de mi vida y pensé que sería bonito matarla con cierta delicadeza en la buhardilla de mi amigo. Esa muerte podría ser sin duda alguna un argumento definitivo para que el inspector Cárdenas o Bárdenas se convenciera de que había gato encerrado en todo aquel asunto.

—¿En qué piensas? —me preguntó delante de un semáforo—. (¡Ah, si me lo hubiera preguntado junto a un álamo!)

—Me parece raro que no hayas ido todavía al agujero de Luis Mary, aunque sólo fuera por curiosidad —respondí.

—Los lugares de los muertos recientes despiden malas vibraciones. Conviene ir con alguien.

Yo había oído antes el rollo de las malas y buenas vibraciones, pero nunca a gente de la edad de Carolina. La sensación de aventura se acentuó y me dejé llevar por ella donde quiera que fuese. Por primera vez en mi vida, también, no tenía miedo.

La buhardilla me pareció un desastre. El decorado era perfecto, aunque le faltaba un ahorcado colgando del centro de la habitación. Carolina se sentó en un camastro y miró con desaliento a su alrededor.

—¿Cómo me hago cargo yo de todo esto? —dijo.

Había libros de todos los tamaños en los lugares más insólitos de aquella cueva dotada de luz eléctrica. Los discos, sin embargo, estaban confinados en una especie de sofá sin patas situado bajo una ventana ciega o bastante miope, si consideramos el escaso paisaje que era posible ver a su través. No vi el tocadiscos por ningún sitio, aunque descubrí un rincón sorprendentemente vacío donde podría haber estado hasta hacía poco. Las cerámicas populares y los objetos indios constituían un peligro notable cualquiera que fuese el lugar de la habitación donde uno se hallase. La cocina y el servicio parecían como excavados en la sucia pared del fondo y de ellos venía uno de esos olores que acaban por obligar a los vecinos a avisar a los bomberos o a la policía.

—Yo no avanzo más —dije—; a lo mejor hay algún muerto.

—¿Y a quién le tocaría ahora? —preguntó sonriendo con una suerte de frivolidad malévola enloquecedora.

—Yo diría que al señor Menéndez Cueto, de los laboratorios Basedow.

—¿Le conoces?

—Ligeramente.

—Bueno —dijo ella sin descender de la sonrisa—, vamos a ver si es cierto.

Se levantó del camastro y me precedió hasta los lugares citados. No había ningún cadáver, aunque sí abundante materia orgánica en proceso de descomposición. Seguro que el cubo de la basura habría podido andar solo. Sin embargo, no vimos la cartera allí, ni debajo del camastro, ni entre los libros, ni en el interior de un absurdo horno de pan, hecho en barro, que había en algún punto del salón. Yo busqué

con ahínco, pese a que sabía que no podíamos encontrarla, para disipar cualquier sospecha de Carolina en relación a mí. Al final, agotados, separamos unos discos y conseguimos sentarnos en el sofá. Sus caderas casi rozaban las mías. Ella llevaba en la mano un puñado de cuartillas que había recogido de algún sitio.

—¿Encontraste al menos el manuscrito de la novela que buscabas? —preguntó.

—No —respondí—. ¿Qué es eso?

—Unas cuartillas que he encontrado por ahí. Vamos a ver: poemas, poemas, poemas. Mira lo que dice aquí: «argumento para una novela: el relato comenzará con mi propia muerte, una muerte algo ambigua, claro está; a partir de ahí sólo tengo que imaginar la reacción de las personas más cercanas a mí y transcribirla adecuadamente».

—¿Qué más dice? —pregunté algo ensombrecido.

—Nada; siguen los poemas. La idea debió de parecerle tan genial, que le liberó del esfuerzo de escribir la novela.

—¿Te importa que me lo quede? Es... un recuerdo.

—Tómalo, a mí me sobran los recuerdos y además todos corresponden al mismo proyecto. Esa novela era la obsesión de su vida.

Carolina advirtió mi progresivo descenso a una suerte de miedo melancólico y voraz. De manera que me rodeó con sus brazos y me besó en la frente, pero yo era otro en esos instantes y ya no deseaba matarla ni quererla, sino alejarme de ella y acudir a Teresa, por cuyo pecho, en otro tiempo, se diluía mi temor a la vida como la nieve en el agua.

—Eres un sentimental —decía Carolina entretanto llenándome de besos, aliviando un daño instalado en una

zona distinta de la que ella pretendía curar—. La viuda soy yo, y tú el amigo encargado de consolarme. No inviertas los papeles.

—Perdona —dije—, en seguida se me pasa. Lamento que mi cinismo no esté a la altura del tuyo.

—No te preocupes. Lo comprendo. Por cierto, Manolo, ¿has hablado con Teresa acerca de la cartera que andamos buscando?

—Sí. No sabe nada.

—Yo sé que ella no la tiene, pero me parece muy raro que no sepa dónde está.

—¿Y por qué sabes que ella no la tiene? ¿Encargaste tú el registro que hicieron en su casa?

Me miró sonriendo y en aquella mirada había una invitación a la complicidad, pero también el anuncio de un daño que podría ocurrirme si no guardaba la debida distancia respecto a los hechos en que me había visto envuelto. La sensación de amenaza se completó con la siguiente frase:

—Mira, Manolo, te has metido en esto por casualidad. El azar te ha proporcionado una información que seguramente no sabes utilizar y cuya manipulación puede hacerte saltar en pedazos. Te aconsejo que no hagas tonterías.

—Sólo quiero saber quién se cargó a Luis Mary, Carolina. Y no hay en ello ningún afán moralizador ni de venganza, sino una especie de impulso incontrolable del mismo tipo que aquel que nos obliga a amar a quien más daño puede hacernos.

—Apestas a sentimentalismo. Tu cabeza es una olla a presión cargada de bonitos sentimientos, pero me temo que está a punto de estallar. Si pudieras ser un poco razonable...

Su preocupación por mí parecía sincera y de improviso

sentí que comenzaba a gustarme tanto como cuando el miércoles anterior habíamos hablado en la consulta. Estábamos solos ella, su melena y yo. Deseé tomarla de la cintura y hundirme en ese abismo desde el que se suele regresar más viejo, aunque no más saciado. Pero comprendí que no podría hacer nada en aquel lugar que aún pertenecía a Luis Mary.

—Vámonos a cenar —dije— para continuar diciendo frases trascendentes.

—Cenaré contigo el día que consigas alguna información interesante sobre el paradero de esa cartera. Y mi consejo es que no te retrases demasiado —su sonrisa era ya una pura amenaza—; hay gente que carece de sentido del humor y que no sabe apreciar tus macabras bromas.

—¿A qué te refieres?

—Bueno, he oído decir que el otro día te encontraron asesinado en tu apartamento.

No contesté. Nos miramos. Ahora parecía asustada, aunque no sabía si por mí o por ella. Fui a tocarla, pero me rechazó.

—Escucha —dijo—, no debería decirte todo esto, pero tengo miedo. Se trata de gente con la que un periodista metido a detective no puede bromear durante mucho tiempo. He conseguido pararlos hasta ahora, pero me están presionando demasiado —se echó a llorar y no conseguí que aceptara el refugio de mi hombro—. Tu visita a Menéndez Cueto ha sido una imprudencia. He obtenido la promesa de que no se metan contigo ni con Teresa durante los próximos cuatro días, pero, si en ese tiempo no aparece la cartera, el asunto queda fuera de mis manos.

—Tú sabías que esa dichosa cartera no estaba aquí.

—Sí —contestó.

—¿Y por qué has fingido? ¿Qué tienes que ver en todo esto, Carolina? —pregunté con tono de confesor.

—Te ruego que no juegues a rehabilitarme. Soy bastante mayor para hacerme cargo de mis intereses. Sólo intento que seas capaz de hacerte cargo tú de los tuyos.

Había dejado de llorar antes de que el rimmel comenzara a diluirse en sus lágrimas. Deduje que un control tan preciso sólo podía ser producto de la mentira. Como en la vez anterior, la idea de separarnos comenzó a parecerme insoportable. Insistí, pues, en que cenáramos juntos.

—Cuando sepas algo de esa cartera —respondió volviendo a sonreír con la frivolidad que era habitual en ella.

La dejé en su coche y anduve dando patadas a las piedras durante una hora. Después entré en una cafetería y en el servicio quemé la cuartilla de Luis Mary donde aparecía la idea para una novela. Todo era negro en aquella hora de humillación. El aire parecía un animal enfermo. Tal era la enfermedad, tal el peso de cuanto en él se movía, que una hoja desprendida de un árbol habría quebrado la piel del pavimento. Pero no había árboles, ni tierra, ni otro abismo que la implacable persecución del criminal acompañada por el sonido negro de mis botas.

# *Nueve*

Al meter la llave en la cerradura intuí algo, pero seguí adelante. En seguida advertí que había luz en el salón. No me dio tiempo a retroceder; una mano de tamaño y fuerza semejante al de una pala mecánica salió de la rendija, me atrapó y consiguió arrastrarme al interior de mi casa. En el sofá había otros dos matones a los que no pareció impresionar nada mi llegada.

Supe que eran matones, porque me miraban de lado y fingían limpiarse las uñas, pero también porque con el volumen de uno de ellos, debidamente vaciado y curtido, podría haberse construido una tienda con capacidad suficiente para seis indios.

Sobre la mesita en la que yo solía colocar el café y los pies para ver la televisión había restos de pan, queso, un par de cuchillos, mantequilla, vino y la lata de sucedáneo de caviar donde había guardado las hormigas, sólo que faltaban las hormigas. Parecían satisfechos con el aperitivo a juzgar por el modo en que fumaban sus cigarros.

—¿Les apetece tomar una copa? —pregunté cortésmente.

Se miraron entre sí como dudando si debían aceptarla o no. Finalmente, el que me había obligado a entrar en el apartamento, con un tirón magnífico por su precisión y violencia, contestó:

—La copa te la vamos a dar a ti, gilipollas.

Advertí que era el más listo de los tres y tomé nota de ello para mi futuro inmediato. Este que digo fue a sentarse en la butaca situada junto al sofá y sacó de un maletín que debía de pertenecerle, y que tenía a sus pies, mi colección de monedas; tras de ella, comenzó a extraer papeles que colocaba sobre los restos del aperitivo sin violencia ninguna, como si intentara demostrar algo. Me fijé un poco y vi que se trataba de los papeles que yo mismo había robado en casa de Campuzano.

—¿De dónde has sacado todo esto? —me preguntó cuando acabó de vaciar el maletín.

—Lo encontré en casa de un tal Campuzano, fallecido, por cierto, hace unos días.

—¿Lo encontraste?

—Eso te he dicho.

—No vuelvas a tutearme.

—...

—No vuelvas a tutearme.

—No.

—De acuerdo. ¿Encontraste algo más?

—No, lo que hay ahí. Facturas, cartas, esas tarjetas de visita y nada más. La colección de monedas es mía.

—Era tuya. Hemos decidido requisarla.

—Bueno —dije intentando ganarme su aprecio.

Evidentemente, no habían encontrado el dinero, por lo que deduje que eran más tontos que yo. De repente, la cisterna comenzaba a parecerme un pésimo escondite. Me maldije por no haber tomado la precaución de deshacerme de los papeles de Campuzano, pero encontré un consuelo inmediato al advertir que no habían dado con el muestrario de papel. Se trataba de ganar tiempo.

—¿Puedo quitarme la gabardina? —pregunté con educación, sin ningún asomo de arrogancia.

No obtuve respuesta y decidí quitármela de todos modos. Eso pareció desconcertarlos durante unos segundos, pero se recuperaron en seguida.

—El otro día —dijo el del maletín— no quisimos molestarte, porque te encontramos un poco muerto, atravesado por un cuchillo y con mucha sangre, pero hoy te vamos a sacar las tripas como te andes con bromas.

—¿Son ustedes de la policía? —pregunté intentando parecer ingenuo.

—No, somos enfermeros, muerto de hambre.

Uno de los que todavía no había hablado sonrió con esfuerzo. En realidad, estaba pálido y sudaba de manera anormal. Supuse que el ácido fórmico estaba provocando algunas reacciones químicas en su sangre.

—Me parece —respondí— que, si es usted enfermero, debería ayudar a su amigo.

Se volvió hacia el matón pálido.

—¿Qué te pasa?

—No sé, algo me ha sentado mal.

—Pues te aguantas. Y tú —dirigiéndose a mí—, ¿cómo prefieres que te rompa los dientes: uno a uno o todos de golpe?

—La verdad es que es una elección complicada, pese a la simpleza con que usted lo expone —por alguna oscura razón esta frase pareció halagarlo—. ¿No podríamos llegar a un acuerdo por el que quedara excluida, o aparcada al menos, esta parte de la negociación que se refiere a mis dientes?

—Hablas como un dirigente sindical, pero las hostias te van a doler como a un militante de base.

—Tiene usted muchos recursos verbales —dije sonriendo—; desde luego, muchos más que sus dos amigos.

Se levantó, me cogió por los hombros y me aplastó contra la librería.

—¿Dónde está esa cartera que andamos buscando?

—Precisamente —dije intentando mantener cierta dignidad, pese a la humillante postura en que me encontraba— venía ahora de hablar con la doctora Carolina Orúe y hemos tocado este tema. Le he dicho que ignoro el paradero de esa dichosa cartera, pero me he comprometido a colaborar en su búsqueda durante los próximos cuatro días. Excuso decirle que, si usted me maltrata mucho, esa colaboración resultará en la práctica imposible.

El matón dudó unos segundos. Luego me soltó y entró en mi dormitorio. Oí girar el disco del teléfono y escuché unas palabras en sordina. El matón enfermo seguía palideciendo de un modo alarmante, y el otro permanecía atento

a mis miradas. Al fin, salió del dormitorio el matón parlanchín.

—Nos vamos. Pero quizá tengamos que volver dentro de cuatro días. Eso depende de ti y de tu amiguita Teresa.

El matón vigilante se levantó y el matón pálido intentó hacerlo, pero parecía sufrir enormes dolores.

—¿Quién se ha tomado mi caviar? —pregunté.

No obtuve respuesta. Entre los dos cogieron al enfermo y se marcharon.

Vacié los ceniceros y recogí la mesa; después, me entregué al miedo. Tuve un impulso, reprimido a tiempo, de llamar a Carolina y quedar con ella para entregarle la cartera. De este modo, habría obtenido dos cosas: cenar con ella y quitarme de encima un asunto que comenzaba a producirme un desgaste excesivo. El recuerdo de Luis Mary me detuvo cuando ya había marcado tres números. La evocación de nuestra amistad adolescente logró paralizarme: uno nunca sabe lo que les debe a los amigos. En cualquier caso, si existía una deuda, éste era el momento de pagarla. Después de esta breve reflexión, concluí que jamás sería un cínico por más que intentara aplicar las técnicas que aprendí de Luis Mary.

Por otra parte, la cuestión relacionada con el asesinato continuaba siendo enormemente confusa. Los hechos carecían de solidez y las esquinas del rompecabezas no lograban adaptarse unas a otras. El motor de la nevera comenzó a ronronear y yo cogí un papel y un lápiz y apunté:

- Luis Mary buscaba una recompensa del Ministerio de Hacienda en base a una denuncia que pensaba presentar relacionada con determinadas irregularidades fiscales de los laboratorios Basedow.

• Luis Mary aparece colgado en el salón de su casa.

• Se supone que la viuda registra inmediatamente la buhardilla de mi amigo en busca de una cartera que el azar acabaría por depositar en mis manos.

• Se supone asimismo que Carolina habla con sus cómplices (pero cómplices de qué) y, presionada por éstos, o en colaboración con ellos, hace un plan de búsqueda dirigiendo sus primeras sospechas a Teresa.

• Entretanto, yo me presento en la consulta de la viuda y me identifico como un buen amigo de Luis Mary. Expreso también mis dudas acerca de las circunstancias de su muerte.

• Carolina ve entonces en mí el sujeto ideal para resolver las cosas sin violencia. Decide, pues, utilizarme como intermediario para recuperar la cartera que todos suponen en poder de Teresa.

• A pesar de ello, los matones registran cuidadosamente mi casa, aunque no se les ocurre mirar en la cisterna del retrete. Yo advierto que el registro se ha producido gracias a una colilla flotante. Esa noche vuelven con idea de asustarme, pero me encuentran asesinado.

• La casa de Teresa es, a su vez, víctima de un registro.

• Comienzan a ponerse nerviosos, etc.

• La muerte de Campuzano no aclara nada, pero tiende a crear un foco de sospecha en la revista *Hipófisis* y en el departamento de investigación sobre el papel de los laboratorios Basedow.

• Por otra parte, parecía evidente que la clave de todo estaba en la cartera que yo tenía escondida en un cajón de la

redacción. Sin embargo, allí no había más que un montón de papeles inocentes y un poco más de medio kilo en billetes de cinco mil. Nadie arma tanto follón por esa cantidad.

Telefoneé a Carolina. Estaba.

—¡Hola! —me dijo—. ¿Qué pasa?

—Uno de tus matones o uno de los matones de tus jefes se ha comido un frasco de hormigas que tenía guardado en la nevera. Además, han intentado maltratarme, pero afortunadamente se me ocurrió invocar tu nombre y me perdonaron la vida.

—La invocación de mi nombre no te servirá de nada dentro de cuatro días, Manolo.

—También me han robado mi colección de monedas.

—Me encargaré de que te la devuelvan, cuando nos des alguna pista sobre la cartera.

—Dime una cosa, por curiosidad.

—¿Qué?

—¿Qué puede haber en esa cartera que justifique tantos atropellos?

—Ya te lo dije, Manolo: papeles, papeles y un poco de dinero que ahora me vendría muy bien para hacer frente a los gastos del entierro de Luis. Por otra parte, si la cartera era de mi marido, ahora me pertenece a mí. Eso es todo.

—Cuando quieres, puedes resultar más vacía que un guante en un cajón.

—¿Y eso no te gusta?

Dudé unos momentos. Luego dije la verdad:

—Sí.

—Ya ves que lo hago por ti.

Su voz se había enronquecido levemente, como si una

ligera emoción hubiera contraído su garganta, pero también como si intentara reprimir un ataque de risa. Preferí pensar lo segundo y actué de acuerdo a esa referencia. Dije:

—¿Quién asesinó a Luis Mary?

—No vuelvas con eso, por favor.

—¿Y a Campuzano?

—Se suicidó. No daba más de sí.

—¿Tuviste acceso al informe del forense?

—¿Sobre la autopsia de Campuzano?

—Sabes que no, sobre la de Luis Mary.

—Por supuesto.

—¿Y había rastros de alcohol o de alguna otra droga?

—En las vísceras de Luis Mary habría habido rastros de alcohol, aunque hubiera madrugado para suicidarse. ¿Detrás de qué andas?

—Bueno, si se le suministró una droga o algo así, pudo haberse colgado él, pero inducido por alguien. Era de esa clase de personas que con la borrachera se ponía cortés y no podía rechazar ninguna invitación. Además estoy seguro de que la invitación a ahorcarse reunía para él el caudal de extravagancia preciso para no pensarlo dos veces.

Me callé, pero Carolina no comenzó a hablar inmediatamente. Después de su silencio escuché su respiración y, en seguida, sus palabras:

—Estás muy ingenioso esta noche, Manolo, pero pierdes el tiempo buscando algo que no existe y descuidando la única búsqueda que te interesa: la de la cartera. Además, eres un poco exagerado. Te han dado un par de sustos, de acuerdo, pero también tú los asustaste a ellos la otra noche. Y, claro, tu actitud robando papeles en casa de Campuzano y molestando a Menéndez Cueto y preguntándome a mí

cosas tan raras es muy sospechosa. Nos hace pensar que buscas una información complementaria a la que hay en la cartera, y eso no nos gusta, porque hay asuntos que no le importan a nadie. Y entonces, claro, los que mandan quieren pararte los pies, aunque yo les he dicho cien veces que eres inofensivo y que vas a colaborar en la medida en que te sea posible y todo eso. Pero mientras yo digo eso a los que mandan, tú no haces más que cometer imprudencias de todo tipo.

—De acuerdo, de acuerdo. Quizá lo deje todo, pero contéstame a esto: ¿Tú sabes que Luis Mary tenía o creía tener pruebas de que los laboratorios Basedow habían estafado a Hacienda una cantidad que podía suponer unos veinte millones en concepto de comisión para quien efectuara y probara la denuncia?

—No. Lo que pasa es que Luis Mary estaba loco y sospechaba en general de todos los papeles. El error lo cometí yo al proporcionarle un trabajo en los laboratorios.

—¿Y por qué te casaste con un loco?

—Porque era un loco divertido.

—No te entiendo, Carolina; no puedo entender nada.

—¿Me conseguirás la cartera?

—Ya veremos. Creo que sí.

—Estupendo. Y recuerda que un buen detective nunca dice no entiendo.

—¿Qué dice entonces?

—Calla. La verdad está siempre en el silencio. ¡Buenas noches!

Colgó. El control de mis emociones siempre ha sido para mí algo misterioso, porque no depende de mi voluntad, aunque tampoco sabría decir qué o quién lo maneja. Me

encontraba bastante deprimido, pero el miedo, al menos, parecía que iba a cogerse la noche de permiso.

En esto, mientras repasaba mentalmente el diálogo mantenido con Carolina, tuve una intuición, casi una certeza: drogas. La cartera escondía en alguna parte una cantidad de droga cara (heroína o coca), cuyo precio justificaba el nerviosismo que ni los papeles ni el dinero podían explicar.

Era muy tarde, pero decidí ir a la redacción a por la cartera. Cuando salía por la puerta, sonó el teléfono.

—¿Manolo?

—Sí, ¿qué hay?

—Soy Teresa.

—Hola, Teresa.

—Estoy muy mal. ¿Puedes venir a pasar la noche a mi casa?

—¿Quieres decir que estás deprimida o que tienes catarro?

Mi afán por agredir a Teresa sólo era comparable al amor que sentía por ella.

—Déjalo.

—No, escucha. Salgo ahora mismo hacia la redacción. Creo que he descubierto algo. En una hora o así estoy en tu apartamento.

Colgué y salí.

# *Diez*

Bajé por López de Hoyos en dirección a Velázquez. Por alguna razón las luces de esa calle permanecían apagadas. La circulación era escasa, aunque torpe, y el ambiente volvía a estar húmedo. Alguien, que no trataba de ocultarse, me seguía, y eso, paradójicamente, me proporcionaba cierta seguridad.

Intentaría quitármelo de encima cuando llegara a una zona más iluminada.

En Velázquez, de improviso, se me ocurrió un buen epitafio: «ESO FUE TODO». Era breve, sintético y resumía adecuadamente la vida del muerto si el que se pudría bajo el

epitafio se había llamado alguna vez Manolo G. Urbina. Entonces pasó un taxi solitario. Lo pare, subí y comenzamos a andar. El perseguidor, por raro que parezca, se quedó desconcertado. No había ningún taxi libre a su alcance y, en consecuencia, tenía que renunciar a su presa. Me extrañó que fuera tan fácil quitarse de encima a un profesional y eso me hizo sospechar de todo. Aunque quizá algunas de las cosas de la vida que nos parecen complicadas se puedan resolver cogiendo un taxi a tiempo.

El caso es que llegué a la redacción. Confiaba en que hubiera alguien conocido en la sala de teletipos; de lo contrario, el vigilante no me dejaría pasar. No hubo problemas.

La cartera estaba en su sitio. La abrí y la vacié sobre la mesa. Era una de esas carteras que han puesto de moda en los últimos años los ejecutivos de todo el mundo: se abría en dos, como un maletín, y su interior estaba tapizado con un material sintético que bajo la presión de un dedo se hundía fácilmente. Cogí un cortaplumas y comencé a despegar el tapizado. De este modo, llegué a una lámina de gomaespuma que no me pareció sospechosa. Tras de esta lámina, encontré una superficie más dura que resultó ser otra lámina, esta vez de cartón. Detrás, no había nada. Hice lo mismo con el otro lado de la cartera obteniendo idénticos resultados negativos. Con mucho cuidado devolví las cosas a su sitio mientras digería la vergüenza íntima de haber hecho esa tontería. Definitivamente, mis dotes para la investigación criminal eran escasas. Si esa cartera hubiera estado realmente tapizada de heroína o coca, la historia que cuento no habría sido digna ni de la más abyecta y baja colección de novelas de espías. ¡Qué vida!

Salí a la calle iluminado aún por mi fracaso. Comenzaba a caer de nuevo una lluvia fina y sucia que le empapaba el alma al tipo más seguro de sí mismo. Caminé hacia Bravo Murillo, donde tomé un taxi. Mientras subía al coche, imaginé un recorrido tranquilo por Madrid fumándome un cigarro. El cigarro no me lo pude fumar, porque el taxista había colocado un cartel en el que se prohibía amablemente hacerlo. El recorrido fue odioso, porque el conductor tenía ganas de hablar. Como si hubiera adivinado mi contrariedad por no poder encender un cigarrillo, comenzó a largarme un discurso sobre la conservación del medio ambiente. Yo le conté la historia de las cucarachas rubias y las hormigas suicidas de mi apartamento, pero no me prestó mucha atención. Cuando llegábamos a casa de Teresa, finalizó su monólogo con estas frases:

—Y ya hemos cambiado, ya. Recuerdo que hace unos años llevé a Pozuelo de Alarcón a un seminarista, un chico culto con latín y griego, que me hizo creer que la ecología era la ciencia que hacía investigaciones sobre el eco. Hoy todos sabemos que ecología es no tirar papeles al suelo.

Llegué a pensar que se estaba riendo de mí, pero parecía tan serio que no me atreví a decir nada. Por la radio anunciaron que al día siguiente retransmitirían una matanza en directo desde un pueblo de Cáceres. Pagué y huí.

En el ascensor revisé mi cartera. Todavía no había cambiado ninguno de los tres billetes de cinco mil que había cogido de la cisterna. La verdad es que me apetecía inaugurarlos invitando a cenar a Carolina.

Teresa me abrió la puerta y me invitó a pasar. Llevaba unos pantalones vaqueros y una camisa a cuadros. Debajo, no sé. Parecía abatida y se había tomado dos o tres cubatas.

TUS
LIBROS

Nos sentamos en el sofá y comprobamos, una vez más, la impenetrabilidad afectiva que caracterizaba nuestras relaciones. Me levanté y me serví un whisky. Dije:

—Para estar en el paro, tienes un buen surtido de botellas.

—Pareces mi padre, Manolo.

—Perdona.

La miré a través del vaso, mientras tomaba el primer sorbo, y pensé que qué mayores nos habíamos hecho y qué inmaduros continuábamos. La nuestra fue una generación de indeseables que habrán de sufrir quienes nos sigan. ¡Qué distancia insalvable entre lo que quisimos ser y lo que éramos! Lo grave, con todo, es que no carecimos de inteligencia, pero nos sobró orgullo o pereza.

—¿Qué decías por teléfono que habías encontrado? —preguntó.

—Nada. Se me ocurrió la tontería de que en el forro de la cartera que me diste podía haber droga.

—¿Y no había?

—No había.

—Pues nos habría venido bien para evadirnos un rato.

—No entiendo nada, Teresa. La documentación esa no vale un real, según el experto de la revista. Pero todos parecen estar locos por conseguir la cartera.

—¿Has vuelto a ver a Carolina?

—Sí.

—¿Y qué?

—Nada.

—Lleva cuidado con ella, Manolo. Por lo que sé, puede coger a un hombre y darle la vuelta como a un guante.

—A mí ya me ha metido los dedos hasta la garganta.

—Y tú, seguramente, le habrás abierto la boca con gusto.

Por primera vez, aunque con cierta gravedad, conseguimos reírnos de nuestras mutuas impertinencias. Después permanecimos un rato como a la espera de que ocurriera algo que transformara nuestras relaciones, pero no hubo nada. Tuve la impresión de que estaba un poco cargada; la afición a la ginebra mala era un rasgo específico del grupo en el que nos habíamos hecho adolescentes.

—¿Tú tienes alguna sospecha dirigida a alguien en concreto? —pregunté al fin.

—No sé, no pienso en un asesino individual, sino en un complot. Me temo que uno de los implicados en esa supuesta conspiración está muerto. Me refiero a Campuzano.

—¿Por qué Campuzano? ¿Qué sabes de ese sujeto?

—No lo conocí, pero Luis Mary me hablaba con frecuencia de él. Por lo que sé, era bastante torpe, pero su situación como director de la revista esa...

—*Hipófisis.*

—*Hipófisis,* sí; pues esa situación le daba cierto poder, como si a través de su puesto hubiera tenido acceso a alguna información importante. Al parecer, y dadas sus limitaciones personales, era bastante utilizado por los auténticos manejadores del asunto.

—¿De qué asunto? —pregunté.

—Pues de lo del fraude que estos laboratorios hacían a Hacienda. La historia, para mí, empezó cuando echaron a Luis Mary de los laboratorios.

—¿Lo echaron o se fue?

—Lo echaron —dijo—. Pero en seguida supieron que se había ido con una documentación importante. Entonces

empezó todo el baile. Yo creo que al principio sólo querían asustarle, pero Luis Mary, con su insolencia, consiguió que desearan matarlo. En ese punto tuvo que jugar un papel importante Carolina.

—Explícate —rogué arrellanándome en la butaca.

—Bueno, mi tesis es que Carolina se casó con él por las mismas razones que él se casó con ella: por pura extravagancia.

—No sabía de nadie —dije— que se hubiera casado para resultar excéntrico. Lo extravagante es quedarse soltero y, además de extravagante, es estúpido.

—No empieces a insultarte, que en seguida te lo explico: la boda resultaba extravagante, porque ella era una señora bien vestida y con una profesión socialmente reconocida, mientras que él era un piernas que a su edad aún no había tenido ningún trabajo estable. Quería ser escritor, pero también de una forma muy vaga. A mí me decía con frecuencia que estaba proyectando una novela en la que pretendía sacarnos a todos los amigos.

—No le tratas muy bien hoy —dije.

—Era un cerdo —respondió, y levantándose se fue hacia su cuarto.

Esperé unos segundos y fui tras ella. La encontré sentada en el borde de la cama, llorando dulcemente, como cuando la lluvia no va acompañada de ninguna otra violencia atmosférica. Me apoyé en el quicio de la puerta y pregunté:

—¿Llevas muchos días encerrada aquí?

—Ya no tengo con quién ir a ningún sitio —respondió sin dejar de llorar.

—Otros salen porque no tienen con quién quedarse.

—No quiero que hablemos de nosotros.

—Acaba, pues, de contarme la historia.

Endureció el rostro y contuvo el llanto. Al poco, pudo hablar.

—Bien, ya sabes por qué la boda resultaba extravagante, aunque desde determinado punto de vista era una boda lógica.

—Enséñame ese punto de vista, por favor.

—Bueno, tú sabes cómo la gente de nuestra edad y nuestra condición ha mitificado determinadas formas de indigencia, o determinados modos de vida en los que la indigencia era un referente moral al tiempo que un adorno estético. También sabemos —tú, menos, porque pagas impuestos y tienes desde hace años un trabajo seguro— cómo esa imagen se vuelve contra uno apenas se empieza a ser mayor. Una noche, alguien, en un bar, se lo dijo a Luis Mary.

—¿Qué le dijo? —pregunté.

—Era un tipo mayor, calvo y bajito, que no encajaba en aquel ambiente. Pero el caso es que se levantó y se dirigió a Luis Mary, que llevaba un rato diciéndole impertinencias al camarero. Recuerdo que, de forma algo agresiva, este señor bajito le puso la mano en el hombro y le dijo: «¿No ves que tu estilo casual y que tu desenfado resultan truculentos cuando se tiene más de treinta años?».

—¿Tenía barba ese sujeto?

—Creo que sí. ¿Por qué?

—Por nada. Trabajo en una encuesta sobre el número de calvos que acaban por dejarse crecer la barba. ¿Qué hizo Luis Mary?

—Nada. Pagó y salimos.

—Anda, sigue con la otra historia, por favor.

—Bueno, pues en definitiva lo que yo creo es que Carolina se casó con Luis Mary porque él aportaba a su vida ese grado de locura y de indigencia inteligente del que antes te decía que andábamos enamorados. Y Carolina aportaba a la vida de Luis Mary esa seguridad y ese reconocimiento social del que cada año nos enamoramos más.

—Una boda de intereses —dije.

—De intereses ideológicos, sí —añadió y se quedó pensativa.

—¿Qué piensas? —pregunté. El quicio de la puerta había comenzado a perforarme el hombro.

—No, que en este punto es donde comenzaría a ser interesante conocer las actividades de Carolina. Verás, imagínatelos casados, pero llevando cada uno una vida bastante distinta a la del otro. En esto, Carolina se entera por una indiscreción de Campuzano, con quien debía de mantener alguna relación profesional, de que hay algo importante a investigar en los laboratorios Basedow. Interesa a Luis Mary en el tema y consigue una colocación para él en los laboratorios al objeto de que investigue, dirigido por ella, en las zonas donde conviene hacerlo. Luis Mary comienza a sacar documentación y empieza a sentir gusto por el asunto. Llega un momento en el que la información que posee le coloca en una situación de poder respecto a Carolina. Además, en ese momento también, comienza a desconfiar de ella por alguna razón que ignoro.

—Pero ¿qué síntomas te inducen a pensar eso?

—Pues porque en ese punto es cuando Luis Mary empieza a venir por aquí con cierta asiduidad trayendo

documentos y cosas para que yo se las guarde. Más tarde me contaría la historia y me prometería una parte de la recompensa. Pero siempre que hablaba de estos asuntos dejaba a Carolina fuera. No confiaba en ella, no. Si te acuerdas, cuando tú lo encontraste en Rosales vigilaba la consulta de su mujer, de donde al fin salió Campuzano.

—¿Entonces?

—Entonces, las imprudencias de Luis Mary y su evidente ocultación de datos ponen nerviosa a Carolina, quien decide pactar con los jerifaltes del laboratorio en base a la información que ha llegado a obtener por medio de su marido. Una de las cláusulas de ese pacto incluye, seguramente, la muerte de Luis Mary. Pudo haberlo matado el mismo Campuzano, de quien después se desharían por tonto, o pudo haberlo hecho la misma Carolina. En cualquier caso, no creo que para una endocrino resulte difícil utilizar algún tipo de sustancia tóxica que pase inadvertida al suave rastreo de la autopsia que se suele hacer a un presunto suicida. Para colgar al moribundo de una soga no hacían falta más que dos o cuatro brazos de mediana potencia. La cuestión es que la mano ejecutora pudo ser una u otra, pero lo importante es que esa mano no respondía a un estímulo individual, sino al deseo de un grupo de personas para el que nuestro amigo resultaba molesto.

—Lo has explicado muy bien —dije.

—¿Y eso me hace sospechosa de nuevo? —preguntó sonriendo con cierto desprecio, mientras comenzaba a desnudarse.

Miré descaradamente su cuerpo y, mientras me fijaba en las zonas que con mayor intensidad había besado en otro tiempo, pregunté:

—¿Crees que sería útil hacer una visita al forense que se encargó de la autopsia?

—Tú eres el investigador, Manolog —respondió metiéndose entre las sábanas.

—Dormiré en el sofá —dije a modo de conclusión, aunque no me moví del quicio.

—No, vete, por favor. Ya no tengo miedo. Perdona que te haya llamado —dijo, y apagó la luz.

Volví al salón, cogí la gabardina y me marché. Era muy tarde y continuaba lloviendo. Bajé por San Bernardo contando las piedras y tomé un taxi a la altura de Tribunal.

# *Once*

El día siguiente amaneció nublado y húmedo. La calle estaba limpia; la había limpiado la lluvia durante una madrugada insomne de golpear en las persianas y chorrear sobre los patios interiores. Llamé a la redacción de la revista y anuncié que no iría a trabajar por encontrarme enfermo. Mis indisciplinas laborales tendían a crecer desde la muerte de Luis Mary, y eso me producía cierta angustia, pues mi obsesión por el cumplimiento exacto de determinados deberes había sido siempre un muro de contención contra el que se estrellaba la locura que permanecía en estado latente en algún punto de mi alma. Temí que la situación anormal

que me estaba tocando vivir alimentara esa parte de mí de la que llevo años defendiéndome.

Tomé un café soluble con dos galletas correosas y un analgésico (me había levantado con una terrible neuralgia en el hemisferio izquierdo de la corteza cerebral) y marqué el número de la comisaría a la que estaba adscrito el inspector Constantino Bárdenas o Cárdenas, encargado del caso de Luis Mary. Esta vez me pusieron con él sin dilación.

Me presenté como Manolo G. Urbina, un periodista amigo del presunto suicida, que había recibido graves amenazas por investigar la muerte de don Luis María Ruiz. Le conté brevemente el resultado de mis pesquisas haciéndole ver que tenía en mi poder el número de datos preciso para provocar la reapertura del sumario.

El inspector Bárdenas o Cárdenas me escuchó pacientemente salpicando mi breve exposición con monosílabos pronunciados de manera mecánica, aunque no hostil. En general, daba la impresión de ser un tipo bondadoso y paciente, dispuesto a escuchar cualquier historia que cualquiera tuviera ganas de contarle. Cuando acabé de hablar, dijo:

—Mire, señor Ge Urbina, yo no sé si usted quiere presentar una denuncia acusándonos al forense y a mí de negligencia en el cumplimiento de nuestros deberes o, por el contrario, me está pidiendo consejo sobre cómo actuar a la vista de los nuevos datos que asegura poseer.

Dijo esto sin ninguna agresividad, en un tono paciente y amable, como si esa posible denuncia por negligencia le afectara de manera muy lateral. Yo, que siempre me he sentido culpable de no sé qué, me asusté un poco ante la posibilidad de que el inspector hubiera recibido mi exposi-

ción de los hechos como un ataque a su capacidad profesional. Me apresuré, pues, a decirle que no, que lo que yo buscaba era un consejo a la vista de la situación en que, a mi pesar, me había visto envuelto. El inspector respondió que, en ese caso, lo mejor es que hiciera un informe escrito de cuanto le había contado y que se lo llevara a Comisaría al día siguiente o al otro. Insistió en que en ese guión describiera físicamente a los sujetos que habían registrado mi apartamento, y que dejara bien explicadas las relaciones que a mi modo de ver había entre la muerte de Campuzano y la de mi amigo.

Quedé, finalmente, en que se lo llevaría al día siguiente, pues, habiendo recibido de los matones (de Carolina, más bien) un plazo de cuatro días a partir del anterior, creí prudente por mi seguridad personal y por la de Teresa acelerar los trámites antes de agotar ese plazo. El inspector estuvo de acuerdo y, aunque no pareció preocuparse mucho por las amenazas de que Teresa y yo habíamos sido objeto, me aseguró que a la vista de ese informe, y tras las averiguaciones pertinentes, decidiría las acciones precisas para mi seguridad y la de mi amiga.

Nos despedimos, colgué y durante algunos minutos intenté imaginarme físicamente al inspector. En mi fantasía, lo vi tomándose el segundo café de la mañana, agazapado tras de una mesa llena de expedientes. Me pareció un modelo de funcionario público: amable, pero escéptico; lento, pero eficaz, y, en fin, cansado, con el cansancio que correspondía a quien después de haberse ganado la vida duramente veía ante sí un breve futuro alimentado por una pensión escasa: los inviernos en Alicante y el verano en la Sierra, en una pequeña casa con jardín cuyas tejas, ladrillos,

puertas y ventanas representaban lo único que se podía tocar con las manos tras de un pasado laboral e íntimo repleto de trienios que conducían a la vejez.

Inmediatamente reaccioné contra esa imagen, que no era sino una proyección de mis instintos literarios más bajos, y me senté frente a la máquina de escribir dispuesto a redactar el informe. A los dos folios me di cuenta de que avanzaba despacio y con dificultades debido a que la frialdad del lenguaje que intentaba emplear eliminaba las conexiones lógicas entre unos hechos y otros.

Lo peor, con todo, es que esa técnica narrativa, que yo imaginaba como específica de los informes policiales, además de aislar cada suceso despojándolo de las íntimas relaciones que guardaba con el conjunto, lo reducía a una anécdota ridícula que dejaba bastante mal parada mi imagen como incipiente investigador de casos criminales. La angustia comenzaba a atacarme, cuando recuperé una idea expuesta en un capítulo anterior: le dejaría al inspector el original del texto novelado que había comenzado a escribir con ocasión del comienzo de mis investigaciones. Le dejaría, pues, este texto, esta novela a medias que él debería ayudarme a terminar y en la que los argumentos de orden afectivo cumplían, respecto a los sucesos que narraba, la función de nexo que no conseguía encontrar en el informe frío y policial que había intentado escribir. La idea, pese a ser completamente mía, me satisfizo y me proporcionó cierta euforia. He de confesar que el hecho de haber encontrado un lector para esta primera novela halagó mi vanidad de escritor fracasado. Por si fuera poco, una vez liberado de la redacción del informe, me encontraba con el día libre y con la cabeza excepcionalmente despejada gracias

a los saludables efectos del analgésico que me había tomado como desayuno.

Aprovechando tal estado de ánimo, telefoneé a Carolina y conseguí arrancarle una cita para comer ese mismo día bajo la promesa de que había reflexionado sobre la entrega de la cartera, pero que quería discutir con ella algunos puntos.

Empleé el resto de la mañana en hacer cosas inútiles, tales como limpiar con furia los mecheros de la cocina o intentar recomponer el puzzle del crimen con los datos que tenía y que no dejaban de girar, como una noria, en mi cabeza. La idea del asesino colectivo, magistralmente expuesta por Teresa, me parecía cada vez más lógica y, en consecuencia, tendía a seducirme. Sin embargo, desde el lugar que me había tocado ocupar a mí en todo el lío, era más completa y bella la idea del asesino individual. El asesino solitario tiene, seguramente, un lado rechazable y por eso se le encarcela o se le agarrota vilmente, o se le pone una inyección venenosa teniendo mucho cuidado con no dañarle el nervio ciático. Pero ese lado que él muestra es aquel que todos ocultamos. A alguien ha de tocarle jugar ese papel dentro de este juego de policías y ladrones que es la vida. Por eso, los asesinos solitarios que matan por rencor o por lucro (lo mismo da) deberían tener un reconocimiento oficial con el que se premiara la importante labor cultural de sus execrables crímenes.

En fin, la cosa es que la tesis de Teresa me parecía inteligente, pero la mía me parecía bella. El dilema era semejante al de aquel poeta sueco que quería tener al mismo tiempo la rodaja y la cebolla. Porque el asesinato era sin duda una unidad lógica, una igualdad algebraica que no

podría verificarse más que para ciertos valores, pero tenía en uno de los hilos de su trama algo que correspondía a una venganza histórica: era justo que Luis Mary muriera, porque su muerte hacía de mí un hombre. Liberado, al fin, de su perpetua amenaza, podría comenzar a escribir una novela. Los dos vivos no habríamos llegado a nada; muerto él, yo me haría escritor.

Con estos pensamientos asesinos, y con las uñas rotas de rascar la grasa de los mecheros, me llegó la hora de salir. En Cartagena no vi ningún taxi. Subí, pues, hasta López de Hoyos, donde había una parada, y tomé el primero de la fila. Un hombre de abrigo marrón que me seguía tomó el siguiente. Di la dirección del restaurante donde había quedado con Carolina y encendí un cigarro tras comprobar minuciosamente que no había ningún cartel prohibitivo. El taxista llevaba la radio encendida y desde los estudios centrales de Radio Madrid un locutor que parecía estar encantado de la vida anunciaba a los oyentes la inmediata transmisión, en directo, de una matanza desde no sé qué pueblo de Cáceres. Al pronto me quedé aterrado, porque del anuncio de esa emisión, que había escuchado la noche anterior en otro taxi, llegué a pensar que se trataba de una alucinación auditiva debida a mis muchos desvelos. Sin embargo, unos segundos más tarde, los estudios centrales conectaron con una emisora local desde la que otro locutor, que también parecía muy contento, narraba el ambiente que rodeaba la matanza haciendo ligeras e inseguras alusiones al carácter ritual de la celebración.

En un alarde de agilidad periodística, el locutor de los estudios centrales hacía agudas preguntas relativas al peso del cerdo que se iba a sacrificar o a su estado de ánimo en

aquellos momentos que precedían al fin. El de Cáceres contestaba a todo como buenamente podía haciendo mucho hincapié en el aire festivo de la gente y en el buen tiempo reinante.

Yo permanecía en el fondo del taxi profundamente angustiado, fumándome la boquilla del cigarro y deseando que todo acabara de una vez. En esto, cuando el de Cáceres anunciaba el momento supremo, tras de haber amarrado al animal que gritaba como un poseso, el de Madrid, en primera fila siempre de la noticia viva, preguntó: «¿Podrías acercarle el micrófono al cerdo?».

Me apoyé en el respaldo del asiento delantero y le rogué al taxista que cambiara de emisora.

—¿Se está usted mareando? —preguntó.

—Estas cosas de sangre me ponen malo —dije.

—Eso depende de con quién se identifique uno —aseguró.

Pensé que lo más prudente después de aquel gratuito insulto era callarme. Pero antes de llegar al restaurante encendí otro cigarro y le quemé un poco la tapicería.

## *Doce*

Entré en el restaurante y dejé la gabardina en el guardarropa. Carolina ya había llegado y estaba bellísima. Me senté frente a ella y nos sonreímos. El tipo del abrigo marrón se colocó en una mesa bastante alejada de la nuestra.

—¿Conoces a aquel vigilante? —pregunté.

—No me suena. ¿Desde cuándo te sigue?

—Desde que salí de casa.

—Debe ser un profesional.

—¿Quién lo paga?

—Qué más da eso. Los que mandan.

Creo que lo que más me cautivaba de Carolina era su

cinismo o su radical inmoralidad, que parecía un trasunto de la inmoralidad de Luis Mary. Pero ella tenía clase; su atractivo provenía de la cantidad de ingredientes contradictorios que informaban esa cosa ambigua que llamamos personalidad. Temí establecer con su imagen una suerte de dependencia semejante a la que había establecido con Luis Mary. Pero ese temor carecía de fuerza en relación a su capacidad para seducirme. La vida suele ser un rosario de ausencias, un vacío que yo no he sabido tapizar adecuadamente. Sin embargo, en ella, ese vacío parecía no existir o, en todo caso, sus contenidos se renovaban con un caudal que parecía provenir de la memoria.

Llevaba un ligero jersey de angorina y cuello redondo, al que se adaptaban sus formas con la violencia, pero con la naturalidad también, con que se adecúan entre sí los distintos elementos que forman parte de una tormenta. Cuando sonreía, enseñaba una dentadura ligeramente imperfecta, que provocaba en mí confusas evocaciones, recuerdos ambiguos que procedían sin duda del material con que uno fabrica los sueños.

Pedimos una comida ligera, aunque exquisita, con la que nos entretuvimos sin necesidad de hablar mucho. En el café, finalmente, abordó ella la cuestión:

—Creo que concertamos esta entrevista para hablar del modo en que pensabas entregarnos la documentación y el dinero de la famosa cartera.

—Sí —dije algo afectado por el plural que había empleado y que convertía mi relación con ella en la relación con un grupo.

—¿Y qué hay de eso? —insistió.

—Verás —respondí adoptando un aire de negociación

colectiva—, nosotros creemos que el valor de esa cartera es grande a juzgar por los esfuerzos que estáis haciendo tus amigos del laboratorio y tú para recuperarla. En todo caso, es un valor que supera el de las seiscientas mil pesetas que, según tú, hay en ella. Creemos que su entrega merece una recompensa, un pago, que ignoro si estáis dispuestos a satisfacer.

—Estaba algo extrañada de que hasta el momento no hubieras mencionado la posibilidad de un rescate. Luis Mary me habló con frecuencia de tu afición al dinero.

—Bueno —dije—, la verdad es que en este asunto me limito a actuar como un intermediario. No quiero nada para mí, pero creo que es justo que Teresa obtenga algún beneficio. Llevaba tiempo trabajando con tu marido en un asunto que le iba a dejar bastante dinero. Creo que bastaría con un par de millones para que pudiera salir adelante por el momento.

Carolina encendió un cigarro y se puso a pensar. Luego amenazó:

—Estáis jugando con fuego.

—Vosotros también —respondí—; de otro modo, ya habríais acudido a la policía. Algo hay en esa cartera que no es legal y a cuya difusión teméis bastante. Si llegáramos a un acuerdo, nadie se quemaría demasiado.

—Está bien —dijo poniéndose muy seria—, es una decisión que no puedo tomar yo sola. Lo consultaré y te diré lo que piensan los otros. Llámame esta noche.

—Preferiría que quedáramos a cenar.

—Yo no.

—Da lo mismo. Como te decía, no pretendo obtener ningún beneficio económico de este asunto. Pero, ya ves,

tengo el capricho de que cenemos juntos, y ésa es mi condición para seguir adelante con las negociaciones.

Carolina sonrió brevemente, aunque con dificultad.

—Los beneficios de orden sentimental —dijo— nunca se obtienen por la fuerza.

No respondí. Pagué y nos fuimos tras quedar esa noche, a las diez, en el mismo restaurante. La acompañé a su coche y después comencé a pasear sin rumbo fijo. El tipo del abrigo marrón me seguía a dos o tres portales de distancia. Pensé que visitar al inspector Cárdenas o Bárdenas no eliminaba, en principio, la posibilidad de obtener dos millones para Teresa.

Entré en una cabina telefónica y llamé a la redacción. Pregunté por Fernando. Se puso.

—Oye —dije—, que nadie se entere de esta llamada, porque oficialmente estoy enfermo.

—¿Y qué tienes?

—No sé; la gripe, por ejemplo.

—Bueno, dime.

—¿Tiraste las fotocopias de la documentación que te di el otro día?

—No, querido, yo nunca tiro nada.

—Bueno, pues hazme un favor: recógelas y espera a que te llame de nuevo. Voy a ver si consigo quitarme de encima a un perseguidor y te telefoneo otra vez para que me acompañes con esa documentación a un sitio.

—De acuerdo. *Ciao.*

—Adiós.

Salí de la cabina y tomé un taxi que pasaba en esos momentos. Una nube se abrió y dejó escapar un rayo de sol, que era el primero que veíamos en varios días. Una vez en

marcha, miré por la ventanilla de atrás y vi al sujeto del abrigo marrón en la acera. Estaba sonriendo y me decía adiós con la mano. Parecía evidente que el objeto de esas persecuciones era, más que controlar mis movimientos, ponerme un poco nervioso. El asunto comenzaba a resultar excesivamente absurdo, porque hasta el más tonto podía comprender que, aun en el caso de que les vendiera la cartera por dos millones, nadie podría impedir que me quedara con una fotocopia de toda la documentación. El juego era, en verdad, muy peligroso. Por fortuna, esta vez me había tocado un taxista mudo y sin radio. De manera que llegué intacto a mi destino.

Había dado una dirección cercana a la revista y desde allí volví a telefonear a Fernando, que bajó en seguida.

—¿A dónde vamos? —preguntó.

—A la Delegación de Hacienda más cercana —dije.

—¿Con esta porquería de documentación?

—Sí.

—Bueno, mira, se van a reír de nosotros. Voy a llamar a un inspector de Hacienda que conozco y, si nos puede recibir, el asunto resultará menos violento.

—De acuerdo —concedí.

Se metió en la cabina desde la que le había llamado yo y salió a los dos minutos con una sonrisa de triunfo.

—Nos está esperando —dijo.

Cogimos un taxi y nos dirigimos al Ministerio. Yo me fumé un cigarro y contesté con evasivas a las preguntas que me iba haciendo Fernando. En el Ministerio tuvimos que pasar cinco controles, subir cuatro pisos y recorrer un número indeterminado de pasillos. Al fin llegamos a un despacho con moqueta en el suelo y reproducciones de

Velázquez en las paredes, donde nos recibió un ejecutivo de cuarenta años, que abrazó a Fernando y me estrechó la mano. Nos sentamos al otro lado de la mesa.

—Verás —dijo Fernando dirigiéndose a su amigo—, Manolo trabaja conmigo en la revista y está investigando un supuesto fraude fiscal de los laboratorios Basedow. Ha conseguido una documentación que yo creo que no sirve para nada, pero que queríamos enseñarte.

Fernando abrió una carpeta y puso sobre la mesa los papeles. El inspector los recogió y salió del despacho recomendándonos que nos pusiéramos cómodos. Fernando no dejaba de hacerme preguntas y yo no dejaba de fumar teniendo buen cuidado de no proporcionarle ninguna información.

Al fin, volvió su amigo y dijo que aquello no valía para nada. Añadió que había consultado el banco de datos del ordenador y que los laboratorios Basedow aparecían como modelo de comportamiento fiscal. Nos fuimos.

Acompañé a Fernando a la redacción y le di la llave de mi mesa pidiéndole que me bajara a la calle la cartera que había en uno de los cajones.

Me la bajó, le di las gracias y me fui a casa tras rogarle que conservara él las fotocopias. Me miró con cierto afecto y dijo a modo de despedida:

—Creo que estás buscando algo que no hay.

Cuando llegué a mi apartamento, estaba sonando el teléfono. Era Carolina.

—¿Qué hacías en el Ministerio de Hacienda? —preguntó riéndose. Parecía haber recuperado su frivolidad en lo que yo me hundía en el desamparo.

—Creí haber despistado a tu perseguidor —dije.

—Te advertí que era un profesional —respondió.

—¿Qué hay de nuevo? —pregunté.

—He consultado tu propuesta y les parece correcta. De manera que lleva esta noche al restaurante la cartera.

—¿Qué llevarás tú?

—Un cheque al portador de dos millones.

—Un cheque no es ninguna garantía.

—Sí, si está conformado por el banco.

—No os puede haber dado tiempo a conseguir eso. Los bancos cierran al mediodía.

—Los laboratorios Basedow pueden abrir las oficinas de su banco a la hora que quieran.

—De acuerdo, pero lo podíais hacer de un millón cuatrocientas mil teniendo en cuenta las seiscientas mil que hay en la cartera.

—No. Nos interesa que nos devuelvas ese dinero por razones de orden contable. El cheque que te voy a dar te lo pagarán con dinero negro.

—¿Y qué es eso?

—Un dinero que pasa por caja, pero del que no queda registro en ningún sitio.

—Sois un prodigio de organización. De acuerdo, estaré en el restaurante a las diez, con la cartera.

Colgué y permanecí perplejo unos segundos. No había entendido nada en relación a ese dinero oscuro, pero la contabilidad ha sido siempre para mí la más indescifrable de las filosofías. Telefoneé a Fernando. Se puso:

—Oye, soy Manolo otra vez. ¿Podrías hacerme un favor?

—Estoy apasionado con tu historia. Tú dirás.

—Ven a mi casa a eso de las nueve y te lo explico.

TUS
LIBROS

—Vale. *Ciao.*

—Adiós.

Saqué el dinero de la cisterna y lo metí en la cartera, junto a la documentación. Después hice una relación aproximada de todos mis gastos desde que había comenzado la investigación y me lo cobré de las seiscientas mil. Me quedé, de propina, las quince mil pesetas que llevaba en el billetero y que pensaba estrenar esa misma noche invitando a cenar a Carolina. Después comencé a escribir este capítulo para que el inspector Bárdenas o Cárdenas tuviera una información lo más actualizada posible. En seguida llegaron las nueve.

Me duché, me afeité, me perfumé, me vestí y esperé unos minutos. Temí que Fernando hubiera llegado mientras permanecía en la ducha. Se presentó, finalmente, a las diez menos veinte.

—Llegas tarde —dije.

—Me entró una cosa urgente a última hora en la redacción. Perdona.

Iba a darle la cartera, pero luego lo pensé mejor y trasladé los papeles y el dinero a una carpeta roja. Le indiqué que saliera de mi casa con la carpeta un cuarto de hora después de que hubiera salido yo, que fuera al restaurante donde yo estaría cenando con Carolina y que ocupara una mesa algo alejada de la nuestra.

—¿Y después qué? —preguntó.

—Cena y espera mis instrucciones —respondí, y cogiendo el abrigo salí en dirección al restaurante con la cartera vacía en la mano.

Si alguien intentaba quitármela por el camino, se llevaría un chasco y romperíamos las negociaciones.

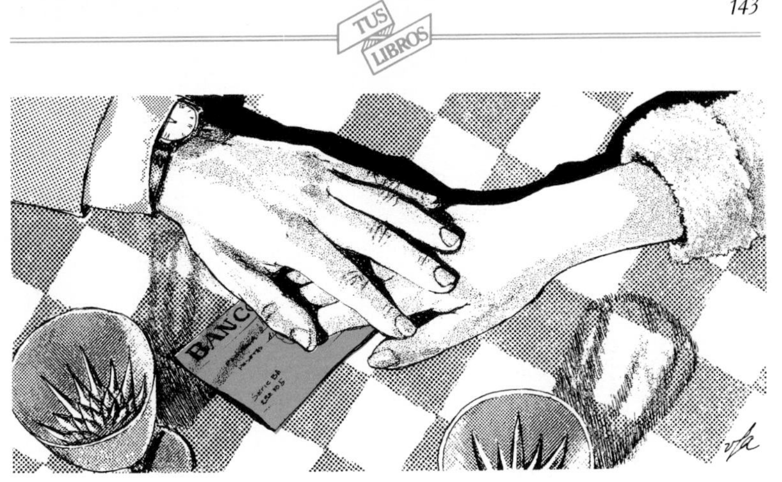


# *Trece*

La calle estaba oscura y menos húmeda que la noche anterior. Desde Cartagena pude ver un trozo de cielo con algunas estrellas desordenadas entre dos nubes de algodón grasiento y sucio. Cogí un taxi en la esquina de López de Hoyos y me acomodé en él con la conciencia de que estaba muy próximo mi regreso a los transportes públicos. Ofrecí un cigarro al conductor, quien —tras aceptarlo sin reservas— comenzó a hablar. Empezaba en esos momentos una jornada laboral que duraría hasta las seis de la mañana; después dormiría tres horas y se incorporaría a la cabina de una furgoneta con la que hacía portes.

—Pero ese modo de trabajar —dije— no hay quien lo aguante.

Me respondió que no, que él lo soportaba bien a condición de no tener ninguna preocupación importante. Las preocupaciones de orden familiar, más que las económicas, eran las que peor llevaba.

—Ahora —añadió— ando un poco desquiciado por una cuñada mía que no está bien.

—¿Y qué le pasa? —pregunté por cortesía.

—Pues algo muy raro, porque lleva doce meses embarazada y el médico del Seguro dice que eso no tiene importancia, que es porque el feto no está maduro. Y lo que yo digo es que quizá no esté maduro para tomar la comunión, pero que ya podría ir a una guardería.

Pensé que todos los taxistas de Madrid se habían confabulado para volverme loco. Una vez repuesto de la primera impresión, dije:

—Eso, desde luego, no es normal.

—¿Verdad que no?

—El Seguro ya se sabe...

—Claro, pero dígame usted a dónde la llevamos. Estar pagando todos los meses un dinero para esto.

Le recomendé que acudieran a un endocrino y le facilité la dirección y el teléfono de la consulta de Carolina asegurándole que no les cobraría nada si iban de mi parte. Quedó muy agradecido y no permitió que le abonase la carrera.

El restaurante estaba más lleno que a la hora de comer, pero aún quedaban mesas libres. Vi a Carolina en el mismo lugar que habíamos ocupado algunas horas antes, y me acerqué a ella con gesto de preocupación.

—Perdona por el retraso —dije sentándome—, me llamaron por teléfono cuando ya iba a salir.

—No te preocupes, me he entretenido con un aperitivo.

Estaba otra vez insoportablemente bella. Su aparente fragilidad corporal actuaba como un negativo de su seguridad vital. Y ese contraste entre debilidad y dureza estaba consiguiendo enloquecerme. Me pareció que se había cortado las puntas de su hermosa melena.

Comimos sin hablar, como traspasados por un sentimiento común que iba más allá del afecto. En el segundo plato vi entrar a Fernando con la carpeta roja bajo el brazo. Se situó en un rincón desplegando un periódico que no leyó por más que intentara provocar esa apariencia. Todos los sujetos que comen solos en los restaurantes utilizan el truco del periódico como para decir a los demás que su soledad gastronómica no implica necesariamente un desamparo vital. Sin embargo, mi propia experiencia me ha enseñado que no es posible tomarse un plato de sopa y leer un editorial al mismo tiempo.

En los postres me permití una descarga sentimental. Dije:

—Me gustaría que el fin de estas negociaciones no significara también el fin de nuestra relación. Podríamos vernos en el futuro con alguna frecuencia.

Carolina miró la cartera que yo había puesto a mis pies, entre los dos, y respondió:

—Espero que no falte nada.

—No faltará nada.

—Si es así, nuestra relación puede continuar, pero yo preferiría mantener contigo, más que una relación personal, una relación profesional.

—¿Qué me estás proponiendo? —pregunté algo turbado.

—Podrías ser paciente mío. Tu páncreas no funciona bien y convendría revisarlo —dijo conteniendo una risa algo perversa.

—¿Por qué dices eso? —interrogué sabiendo que no debía hacerlo, pues las personas inteligentes sólo hacen preguntas cuya respuesta conocen de antemano.

—Tus confusiones sentimentales son típicas de sujetos afectados por algún tipo de disfunción glandular.

Volvió a reírse con una extraña colaboración por parte de los ojos y añadió que le encantaba ser un poco mala conmigo. Yo me dediqué al flan con nata para no darle otra oportunidad de mostrarse cruel.

Pedimos una copa y, mientras la tomábamos, sacó un cheque del bolso y lo deslizó hacia mí a través del mantel. Al portador, dos millones y debidamente conformado por el banco contra el que se libraba. Mientras yo comprobaba estos extremos, ella cogió la cartera negra y la abrió. Por primera vez, desde que la conocía, la vi tambalearse ante el engaño. Primero fue un gesto de decepción; en seguida, uno de miedo; finalmente, una mirada furiosa que alteró sus facciones se posó en mis ojos. Disfruté del espectáculo unos segundos con una sonrisa algo artificial entre los labios. Después dije:

—No te preocupes, intentaba prevenirme de que alguno de tus matones me arrebatara la cartera antes de llegar al restaurante.

Guardé el cheque en mi billetera, me levanté, fui hasta la mesa ocupada por Fernando y recogí la carpeta. Fernando murmuró entre dientes:

—¿Cómo va todo?

—Bien —respondí—, puedes desaparecer cuando quieras.

Volví a mi mesa y le entregué la carpeta. Carolina la abrió con disimulo haciendo una revisión superficial.

—De acuerdo —dijo— , ahora ya podemos irnos.

Creo que el hecho de haber perdido momentáneamente los nervios la había puesto furiosa.

—No te enfades —dije tratando de apaciguarla—; no tienes la exclusiva de todas las maldades.

Me miró y sonrió con cierto afecto. Eso logró alentarme. Dije:

—No entiendo por qué tanto interés por esa documentación. Por otra parte, puedo haber hecho fotocopias y utilizarlas en el futuro para un nuevo intercambio.

—Digamos que confío en ti —respondió volviendo la mirada hacia una mesa donde dos gorilas consumían su tercer postre—. A propósito —añadió señalando discretamente a Fernando—, no habrás complicado a nadie más en todo esto.

—No te preocupes, no sabe nada.

Le propuse que fuéramos a tomar una copa a otro sitio y se mostró conforme, aunque quería pasar un segundo por su casa para dejar la carpeta. Pedí la cuenta y estrené uno de los tres billetes de cinco mil. Tardaron en traerme la vuelta una eternidad, que yo empleé en fantasear sobre las posibilidades de esa noche.

La calle estaba más desierta que mi vida, a pesar de que todavía no eran las doce. Nos dirigíamos a su coche cuando un par de sujetos bien vestidos salieron de algún sitio a nuestro encuentro. Se identificaron con cortesía, aunque con

dureza, como policías y nos rogaron que les acompañásemos. A Carolina le quitaron la carpeta roja y a mí la cartera vacía. Luego nos introdujeron en un coche camuflado que había en las cercanías. Cuando me repuse del susto, pregunté por lo bajo a Carolina.

—¿No será esto un nuevo truco de tus amigos?

—Eres un imbécil, Manolo —respondió ella con serenidad.

—A callarse —añadió uno de los presuntos policías.

Cuando vi que entrábamos en una dependencia anexa a la Dirección General de Seguridad, logré tranquilizarme un poco, pues mi temor era haber caído en manos de unos liquidadores profesionales. En realidad, pensaba, yo no tenía nada que temer ni nada que no pudiera explicar a la policía, aunque el cheque que llevaba en el billetero no dejaba de constituir una preocupación, porque aún ignoraba a cambio de qué me había sido entregado.

Nos separamos en uno de los infinitos pasillos que hubimos de recorrer antes de llegar a nuestro destino. A mí me introdujeron en una habitación mal amueblada, donde había un mecanógrafo bastante cansado y un policía de paisano bien peinado y muy bien afeitado, si tenemos en cuenta la hora. Supuse que comenzaba entonces su servicio.

—Nombre y apellidos —ordenó.

—Manolo G. Urbina.

—¿Ge es un apellido o un modo particular de reírse? —preguntó.

—No, no —corregí asustado—, corresponde a García. Es que soy periodista y suelo firmar así.

El mecánografo parecía escribir todo lo que oía.

—De modo que eres periodista —insistió el policía descendiendo al tuteo de forma algo agresiva.

—Bueno, en realidad trabajo para una importante revista del corazón. Quizá hubiera sido más apropiado decir que soy escritor.

—Entonces, quedamos en que escritor, ¿no es eso?

—Sí, sí, es más propio. No trato temas políticos ni sociales, sólo hago artículos y reportajes sobre actrices de cine y cosas así.

—Escritor, entonces.

—Eso es —respondí aliviado.

—¿Y la señora que iba contigo?

—Es médico. Quedó viuda hace poco. Supongo que todo esto es una confusión.

—Ya veremos. Eso lo tiene que decidir el que entra de servicio a las ocho.

—¿Quiere decir que voy a pasar aquí la noche?

—Sí, pero te pondremos cómodo.

—Tengo derecho a llamar a un abogado —dije algo fuera de mí.

—Bueno —respondió el policía como si resolviera un dilema—, tendrías derecho, si te hubiéramos detenido, pero esto es más bien una retención, ¿comprendes?

—Esto es una detención ilegal, conozco mis derechos.

—A que te aplico la ley antiterrorista, gilipollas.

—Bueno, bueno, está bien —dije en tono conciliador—, pero quería saber al menos a qué se debe todo esto.

—Ya lo sabrás mañana. Ahora es muy tarde y estarás deseando descansar un rato —añadió con sorna.

A continuación me obligó a vaciar los bolsillos y a quitarme el cinturón, los cordones de los zapatos y la corbata.

—Es para que no te ahorques —dijo ingenuamente.

—La verdad es que no suelo ahorcarme mucho en estos casos —respondí con una sonrisa cómplice por ver si me ganaba su amistad.

—Venga, venga, déjate de tonterías y quítate los cordones de los zapatos.

—Llevo botas.

—Vale.

El mecanógrafo cansado, entretanto, tomaba nota de todas mis pertenencias. Cuando sacó el cheque del billetero, dijo en voz alta:

—Un cheque al portador de dos millones de pesetas.

—¿Y eso? —preguntó el policía.

—Negocios —respondí.

—Vale, tío, mañana estarás más despejado.

Tocó un timbre y apareció un policía nacional.

—Dale una manta a éste y ponle en un sitio donde se encuentre cómodo. Es universitario.

El calabozo en el que me encerraron, sin ser acogedor, tenía algo de hospitalario, pese al frío. Me senté en el camastro e intenté pensar sobre mi situación. Pero lo único que me venía a la cabeza era la historia del taxista cuya cuñada llevaba embarazada doce meses.

# *Catorce*

Me desperté unas quince veces a lo largo de la noche. Al amanecer, sin embargo, me entró el sueño y me quedé profundamente dormido. A las ocho y media, alguien dio un grito desde la puerta de la celda y me levanté. Mi traje estaba arruinado y mi cuerpo molido. Me condujeron a través de pasillos y escaleras hasta la habitación donde había sido interrogado la noche anterior. El decorado era el mismo, aunque con distintos actores.

Esta vez fui invitado a sentarme frente a una mesa sobre la que vi la documentación que le había vendido a Carolina, así como el medio kilo de pasta en billetes de cinco mil.

También estaba el cheque de dos millones que había pensado regalar a Teresa. Al otro lado de la mesa había un inspector muy bien arreglado que revisaba los papeles y daba pequeños sorbos de café a un vaso de plástico. Un mecanógrafo en buen estado ocupaba, a mi derecha, el lugar del mecanógrafo cansado de la noche anterior.

—Veo por su aspecto que no ha conseguido conciliar el sueño —observó el policía.

—Determinadas situaciones consiguen desvelarme —respondí algo insolente.

—¿Le apetece un café?

—Con un par de optalidones, si es posible.

El inspector tocó un timbre y encargó un café con leche a alguien que, a mi espalda, se había puesto a sus órdenes. Añadió que intentara conseguir dos optalidones.

—¿Aspirina da igual? —preguntó el sujeto detrás de mí.

—No, que me produce acidez —intervine yo.

El sujeto se retiró y el inspector comenzó a hablar:

—Disculpe que no le permitieran ayer ponerse en contacto telefónico con nadie. Es el problema que tenemos siempre con las retenciones.

—Mire usted —dije con la insolencia que me daba el cansancio—, esto ha sido una detención ilegal en toda regla. Y no me importa, no pienso emprender ninguna acción legal, pero déjeme que me marche, porque tengo muchas cosas que hacer esta mañana.

—Sin embargo, me gustaría que habláramos un poco de todo esto —dijo señalando con los ojos los papeles que había sobre la mesa.

Me quedé callado unos segundos, aparentando que pensaba, aunque cada vez que intentaba hacerlo me venía a

la cabeza, obsesivamente, la historia del taxista y su cuñada.

En esto, alguien entró y colocó delante de mí, sobre la mesa, un vaso de plástico con café y dos optalidones. Tomé un par de sorbos e ingerí los optalidones. No sabía cómo actuar. El inspector parecía dispuesto a tolerar mis desplantes, pero yo temía que, si éstos iban muy lejos, cambiara de actitud y me amenazara también con aplicarme la ley antiterrorista. Finalmente me acordé del inspector Bárdenas o Cárdenas.

—Verá usted —dije con gesto de infinita paciencia—, no pienso hablar de nada con nadie. No tengo nada que temer; no soy un delincuente. Por otro lado, trabajo en una revista de gran tirada que podría publicar la semana que viene un reportaje sobre el modo en que la policía trata a los ciudadanos decentes.

—¿Es Carolina Orúe una ciudadana decente? —preguntó.

—No hablo por esa señora, sino por mí. Desconozco si la viuda de mi amigo (porque es la viuda de un amigo mío) tiene algo pendiente con la justicia, pero sus deudas, desde luego, no las reconozco como mías.

—De acuerdo —añadió el policía algo conciliador—, siga usted.

—Le hablaba del reportaje de mi revista, pero no pienso utilizar ese privilegio, porque comprendo que todos podemos cometer errores. Ahora bien, ustedes están impidiendo con mi detención que yo acuda a una cita que tenía concertada con el inspector Constantino Bárdenas en una comisaría de Madrid.

—¿No se referirá usted al inspector Constantino Cárdenas?

—Cárdenas, eso es lo que he dicho —mentí.

—Lo conozco y sé a qué comisaría está adscrito. ¿Quiere que le llame?

—Sí, por favor. Dígale que tienen ustedes «retenido» a don Manuel G. Urbina, el periodista que estaba haciendo algunas averiguaciones en relación a la muerte de Luis María Ruiz.

El inspector llamó a centralita y solicitó que le pusieran con la comisaría correspondiente. Habló con su colega, le contó brevemente la historia y colgó.

—Dentro de media hora lo tenemos aquí —dijo.

—Estupendo —añadí yo.

—¿Le apetece jugar a las damas en lo que llega nuestro amigo? —preguntó cortésmente.

—Preferiría hacer un par de llamadas y leer el periódico —contesté con paciencia.

—Lo de las llamadas no va a ser posible todavía, pero le proporcionaremos un periódico.

El mecanógrafo salió y al poco regresó con un periódico de la tarde del día anterior. No protesté. Lo cogí, clavé la vista en un sitio cualquiera de la primera página, y puse el mismo gesto de interés que solía utilizar en los restaurantes cuando comía solo. En la página de pasatiempos sonó el teléfono. El policía lo cogió, dijo un par de monosílabos y, disculpándose conmigo, salió de la estancia. El mecanógrafo, entretanto, pasaba con furia a máquina un expediente.

Al rato regresó el policía con un señor mayor que se identificó como Constantino Cárdenas. Le estreché la mano y luego nos sentamos los tres en torno a la mesa. El policía anfitrión rogó al mecanógrafo que se largara y nos quedamos solos.

—Bien, usted dirá —comenzó el inspector Cárdenas mirándome con una indiferencia cortés.

—La verdad es que no tengo mucho que decir —contesté con seguridad; los optalidones habían comenzado a hacer su efecto y sentí que podía razonar con cierta coherencia—. Como usted sabe por la conversación telefónica que mantuvimos ayer, yo había investigado algunos extremos en relación a la muerte de un amigo mío, Luis María Ruiz, que apareció colgado en el salón de su casa hace algunos días. Pues bien, ayer y al término de una cena fui detenido.

—¿Con quién cenó usted?

—Con su viuda, Carolina Orúe.

—Ya. ¿Qué más?

—Nada más. Fuimos detenidos sin ninguna explicación, y esta mañana he rogado que se pusieran en contacto con usted.

—¿Usted no sabe por qué le detuvieron?

—Pues no, francamente.

El inspector Cárdenas se levantó y comenzó a mirar los papeles que había sobre la mesa. Después acarició ligeramente los billetes de cinco mil y, por fin, tomó el cheque en sus manos.

—¿De dónde procede este cheque al portador?

—Me lo dio la doctora Orúe.

—¿A cambio de qué?

—De todo eso que hay sobre la mesa.

—¿Incluidos los billetes?

—Sí.

—De manera que, si lo entiendo bien —dijo con aire reflexivo—, usted queda conmigo para ofrecerme ciertos

TUS
LIBROS

OCTUBRE
6
MARTES

datos, y la noche anterior a nuestra cita le entrega, a cambio de dinero, toda esa documentación a una sospechosa.

—La documentación la vio ayer por la tarde un inspector de Hacienda y dijo que no valía para nada. De todos modos, tengo las fotocopias.

El inspector me miró con gesto de estudio, como si intentara averiguar si se enfrentaba a un tipo demasiado listo o a un tonto rematado. Finalmente, expresó una opinión.

—Es difícil creer que sea usted tan torpe.

Lo dijo de tal manera, que no lo recibí como un insulto.

Yo sabía que tenía sesenta y cuatro años, puesto que estaba a punto de jubilarse, pero parecía mayor que eso. Sus palabras exudaban un tono paternal que, desde mi punto de vista, hubiera resultado protector, aún en el caso de que yo tuviera algo que ocultar.

—No sé a qué se refiere —dije al fin.

—Veamos —dijo cambiando de tema al tiempo que volvía a sentarse—, ¿ha preparado el informe que le pedí ayer por teléfono?

—Sí —mentí.

—¿Es minucioso?

—Bastante.

—De acuerdo, espere un momento aquí, por favor.

Los dos policías salieron al pasillo y regresaron a los diez minutos.

—Está usted libre —dijo el inspector Cárdenas—. Si me lo permite, le acompañaré a su casa para recoger ese informe. Lo leeré y hablaremos de nuevo mañana o pasado.

Entró el mecanógrafo y me entregó una bolsa grande de papel donde estaban todas mis pertenencias. Firmé un papel

y me devolvieron el abrigo. Mientras me colocaba la corbata, pregunté:

—¿Puedo llevarme el cheque?

—Todavía no. Ya hablaremos de eso.

Firmé otro papel relacionado con la retención del cheque y salimos.

En la calle lucía el sol. Nos metimos en un coche camuflado y di mi dirección al conductor.

El inspector Cárdenas comenzaba a caerme bien. Iba muy tranquilo a mi lado, como quien se limita a cumplir una jornada de trabajo impuesta desde afuera. Se movía con una indiferencia rara que a mí me parecía muy cercana a la sabiduría y daba la impresión de no haberse alterado nunca por nada. En un momento del trayecto dijo:

—Procure descansar, tiene mala cara. Habrá un policía protegiéndole, por si acaso, mientras se aclara todo. Nos hemos ocupado también de proteger a su amiga Teresa, aunque ella no lo sabe y es mejor que siga sin saberlo.

—De acuerdo —respondí agradecido—. ¿Qué pasa con Carolina Orúe?

—Seguirá detenida, de momento.

—¿Asesinó ella a su marido? —pregunté.

—Ya veremos —dijo, y llegamos.

Subimos a mi apartamento y le entregué con cierto pudor la novela que estaba escribiendo.

—Verá usted —dije para justificarme—, cuando empezó todo, y por una especie de deformación profesional, comencé a llevar un diario de los hechos, una especie de novela-homenaje a mi amigo muerto. Hay en ella cosas que no le interesarán, cuestiones y asuntos de índole personal, pero contiene, sin embargo, una relación ordenada y

contextuada de todos aquellos hechos que podrían serle útiles.

El inspector ojeó el mamotreto y sonrió por primera vez en aquella mañana y, posiblemente, en aquel año.

—No se preocupe —dijo—, en otro tiempo fui un buen aficionado a las novelas policíacas. La experiencia, por otra parte, me ha enseñado que las cuestiones afectivas que se mueven en torno a un crimen suelen proporcionar mayor información que una tonelada de documentos. Lo leeré despacio y le diré mi opinión.

—Estupendo —dije con el patético entusiasmo de un primerizo.

—Bien —añadió él despidiéndose—, el agente que nos ha acompañado vigilará su casa. Descanse y no haga tonterías.

Se marchó, me duché y me metí en la cama. Creo que no tardé en dormirme, pese a los ruidos mañaneros de los apartamentos que por arriba, por abajo y por todos los lados rodeaban el mío.

# *Quince*

Conseguí dormir hasta las cuatro de la tarde. A esa hora otro soltero inconsolable, que ocupaba un apartamento contiguo al mío, llegó del banco en el que trabajaba y, mientras abría alguna lata para comer, puso un disco de Simon y Garfunkel. Si algo puede hacerme llorar en este mundo, son las canciones de ese dúo adolescente. «Soy una roca, soy una isla», decían los tabiques en inglés mientras yo me incorporaba en castellano aturdido por el sentimiento y destrozado por la vida, por la mía y por la de los demás, que todo era un desastre breve y contingente, pero atronador y en fin...

TUS
LIBROS

TUS
LIBROS

Al poco llamaron a la puerta y abrí sin reparos deseando que algún matón me vaciara un cargador en el estómago. Sin embargo, se trataba del inspector Constantino Cárdenas, a quien invité a pasar sin dilación.

—Buenas tardes, ¿ha dormido usted? —preguntó.

—Unas horas —dije—. Luego, un vecino triste me ha despertado con Simon y Garfunkel.

Me miró con una expresión paternal, que agradecí profundamente, y fue a sentarse en la esquina del sofá desde la que yo solía ver la televisión.

—¿Desea tomar algo? —pregunté.

—Un vaso de agua, por favor.

Le serví un vaso de agua, se lo bebió. Volvió a mirarme.

—Da usted la impresión de estar un poco nervioso —dijo.

—En realidad, sí, lo estoy —respondí—. Todo este asunto ha conseguido desquiciarme. He faltado dos días al trabajo y creo que empiezo a lamentar el haberme metido en este asunto que me concierne de forma muy lateral.

—Por lo que he leído de su informe novelado, no parece que usted apreciara mucho a su amigo Luis María Ruiz.

—Eso es un error —respondí sentándome a su lado—. Es cierto que manteníamos una relación de amor-odio, pero ése es el componente normal de todas las amistades fuertes. Lo que ocurre es que yo soy capaz de confesarlo y otros no.

—¿Qué quiere decir? —preguntó de un modo que delataba cierto gusto por la conversación.

—Quiero decir —respondí en un tono algo profesoral— que en toda relación donde el afecto se expone demasiado hay siempre una ambivalencia difícil de recono-

cer. La gente dice, por lo general, «quiero a fulano» o «detesto a mengano», como si el amor y el odio fueran sentimientos unívocos. Lo que se hace, en el primer caso, es negar la parte de odio que todo sentimiento amoroso conlleva. Lo que se niega, en el segundo, es el porcentaje de amor que comporta el odio.

—Ya —respondió el inspector Cárdenas algo pensativo—. ¿Y cuál es la situación de sus afectos respecto a Carolina Orúe?

—Pues un poco lo mismo —respondí algo molesto por estas intromisiones de orden personal—. Estoy preocupado por ella. La imagino detenida en uno de esos horribles calabozos y sufro al pensar que el destino logró separarnos.

Me reí de forma algo grotesca y esperé a que se produjera una respuesta a mi estímulo. El inspector, sin embargo, endureció el rostro y no dijo nada, por lo que en seguida hube de añadir:

—No, en serio, quiero decir que la he tratado y que me parece una mujer fascinante por muchos motivos, aun en el caso de que haya asesinado a su marido. El modo en que me refiero a ella o a mi amigo Luis Mary, que en paz descanse, puede parecerle a usted algo desafectivado, si ese término existe, pero es el tono que empleo para defenderme de los afectos que van más allá de mi capacidad de control.

—No sé —dijo el inspector mirándome de golpe desde todos sus trienios—, pero por lo que llevo leído de su novela forman todos ustedes un grupo un poco raro en el que los papeles se intercambian con cierta frecuencia. Usted, por ejemplo, no parece personalmente tan cínico como el personaje que lleva su nombre en ese informe o lo que quiera que sea.

—Bueno —respondí ya a la defensiva—, se trata de un recurso literario. Mi ambición era escribir una novela, no un retrato. ¿Lo ha leído ya todo?

—Casi todo. Se lee de un tirón. Pero aún no he tenido tiempo de reflexionar. Lo acabaré esta noche, y mañana, si le parece, hablaremos; ahora había venido a otra cosa.

—Usted dirá —respondí en un tono algo sumiso.

—Cuenta usted en algún capítulo que la segunda vez que los matones se presentaron en su apartamento descubrieron los papeles que había cogido en la casa del difunto Campuzano.

—Así es. Por cierto, que me robaron una colección de monedas.

El inspector pasó por alto el tema de mi colección y continuó con el suyo:

—Pero olvidaron o no vieron un pequeño muestrario de papel que pertenecía también a Campuzano.

—Sí —dije, y me levanté a buscarlo.

Se lo di, lo observó detenidamente y se lo guardó luego en el bolsillo de la chaqueta. Después se levantó e hizo los gestos de quien ha decidido marcharse de algún sitio.

—Pues eso es todo, amigo —dijo a modo de conclusión—. Le espero mañana, a las once, en Comisaría. Hablaremos de su novela y, si es posible, le diré el nombre del asesino.

Le acompañé hasta el ascensor algo perplejo. Después, volví a mi agujero, cerré la puerta y puse la cadena de seguridad. Encendí un cigarro, me tiré en el sofá y, como si alguna compuerta se hubiera roto dentro de mí, mi pecho quedó en pocos segundos inundado de sospechas. El tal Constantino Cárdenas era un zorro. Con la excusa del

muestrario, había venido a indagar algo acerca de mi vida. Lo que yo no podía saber era el resultado de esa indagación.

Me levanté y paseé por el salón. Necesitaba emplear el tiempo en algo; de manera que comí cuatro restos que encontré en la nevera y después me puse a leer sin lograr la concentración adecuada.

A media tarde sonó el teléfono, pero colgaron cuando lo cogí. Me tomé un tranquilizante. Después telefoneé a Teresa, aunque fui incapaz de identificarme al oír su voz. Colgué, pues, sin decir nada y regresé al simulacro de lectura iniciado un poco antes. Al anochecer, tomé un par de tranquilizantes más y me metí en la cama sin cenar. Estaba en el fin de algo que no era un túnel, porque carecía de salida, aunque el resto de los atributos de ese algo era el que caracteriza a esa clase de construcciones cilíndricas imaginarias.

# *Dieciséis*

Al día siguiente me levanté muy pronto y llevé a cabo los ritos de un soltero veterano con la misma parsimonia que si fuera domingo por la mañana. Por la ventana del salón, que daba a un patio de luces demasiado amplio para calificarlo de siniestro, aunque lo suficientemente estrecho para considerarlo triste, vi que lucía un sol espléndido. En el piso de arriba alguien a quien solía encontrar en el ascensor con cierta frecuencia tendía sobre las cuerdas de la ropa un pijama conocido que con el paso del tiempo había llegado a adquirir cierto aire de mortaja.

Mi conciencia estaba más vacía que mi estómago, pese a

que yo intentaba rellenarla con diversos estímulos procedentes de un caudal emotivo que cada año se secaba un poco más.

Telefoneé a la redacción y dije que continuaría enfermo el resto de la semana. El redactor jefe se puso un poco pesado y tuve que explicarle algunas de las complicaciones más frecuentes de la gripe. Su hipocondría le impidió seguir preguntando, de manera que pude colgar pronto sin tener que dar demasiados detalles.

Tomé un par de cafés solubles y encendí un cigarro para calcular, por el dolor que me producía el humo al atravesar la garganta, el estado de mi faringitis crónica. Después me duché y estuve un cuarto de hora frente al espejo quitándome espinillas.

Cuando salí a la calle, el sol era más cegador de lo que yo había podido advertir desde la ventana de mi patio. Pero ese sol apenas era capaz de suavizar un frío semejante al que debe hacer en los lugares sin atmósfera. Por lo demás, la gente, las casas, los vehículos, y el resto de los objetos urbanos que decoraban las alcantarillas que llamamos calles parecían siluetas planas más que cuerpos dotados de espesor o volumen. La sensación que tuve esa mañana es que me encontraba en una de las páginas de un cuento troquelado, al que la habilidad de un artesano había conseguido darle cierta animación. Supe entonces que con tales argucias sensitivas me defendía del miedo inmediato a conocer el nombre del asesino de mi amigo Luis Mary.

Llegué a la comisaría antes de las once, pero Constantino Cárdenas me recibió en seguida. Tenía un despacho con cierto olor a cuartel, que no encajaba con la personalidad del anciano. Me senté al otro lado de su mesa y sonreí a la

espera de la sentencia. El inspector sacó de un cajón el pequeño muestrario de papel que le había entregado el día anterior y me lo pasó a través de la mesa.

—He numerado las muestras —dijo—. Busque usted la treinta y dos.

La busqué y dije:

—Ya está.

—Tóquela suavemente con la yema de los dedos.

La toqué del modo que me había indicado y después me dirigí a él con una mirada interrogante.

—¿No le recuerda nada ese tacto? —preguntó.

—Sí —respondí—, pero no sé el qué.

Sacó entonces el inspector su billetero y extrajo de él un billete nuevo de cinco mil pesetas. Me lo dio sonriendo. Dijo:

—Compare ahora entre el papel y el billete.

Lo hice y me pareció que tenían idéntica trama. Dije:

—Ambos papeles tienen una trama igual o muy parecida.

—Eso es —afirmó satisfecho—. ¿No le sugiere nada tal coincidencia?

Compuse, por complacerle, la expresión de quien se esforzara en comprender algo y de repente, de forma algo gratuita, comprendí: si los documentos de la dichosa cartera no valían nada, era preciso concluir (¡cómo no se me había ocurrido antes!) que lo que todo el mundo buscaba era el dinero, las seiscientas mil que yo había guardado en la cisterna. Ahora bien, esa cantidad no justificaba, en principio, los medios empleados para recuperarla; por lo tanto, aquellos billetes tenían un valor añadido. Dije:

—Dinero falsificado.

—Correcto —respondió el inspector.

—¿Cómo no se me ocurrió antes?

—Estaba usted ofuscado con el tema del delito fiscal, porque el problema no era tan difícil.

—Por eso nos detuvieron al salir del restaurante, porque pagué con un billete falso.

—Efectivamente. Hace tiempo que la brigada que se encarga de esta clase de delitos andaba detrás de esa partida. La falsificación era casi perfecta, pero tenía un defecto que cualquier especialista podía detectar. Los falsificadores habían puesto en circulación trescientas mil pesetas y entonces advirtieron el fallo. Decidieron, pues, destruir el resto, las seiscientas mil, que estaban en poder de Carolina Orúe. Lo que ocurrió es que, cuando esta mujer fue a buscarlo, se encontró con que su marido lo había robado.

—¿Luis Mary conocía el asunto?

—No. Imagino que lo robó por placer y porque a esas alturas ya había comenzado a sospechar que su mujer se entendía directamente con los del laboratorio.

—Explíquemelo con un poco de orden, por favor.

—De acuerdo, escuche: Carolina Orúe intuye, por alguna indiscreción de Campuzano, que en los laboratorios Basedow se está llevando a cabo algo ilegal que puede producir enormes beneficios. Utiliza entonces sus influencias para colocar en esos laboratorios a su marido, pero sin explicarle cuál es la naturaleza de sus sospechas. Le engaña, pues, haciéndole creer que lo que van a investigar es un fraude fiscal. Su amigo, Luis Mary, que en el fondo seguramente era un ingenuo, obedece las órdenes de Carolina y saca papeles de donde ella se los manda sacar. Llegado a un punto, sospecha que su mujer le oculta alguna información

y decide actuar solo. Entonces, coge de su propia casa la cartera donde guardan la documentación que han ido acumulando y, de paso, se encuentra con seiscientas mil pesetas que decide robar por placer o por venganza. A continuación, esconde esa cartera en casa de su amiga Teresa. En ese momento, los falsificadores detectan el fallo al que ya me he referido y le piden el dinero a Carolina al objeto de destruirlo. Pero el dinero no está en su sitio y eso les pone nerviosos. Creo, sin embargo, que consiguieron recuperar una parte que Campuzano trasladó de la consulta de Carolina a la Casa de Campo la tarde aquella que tan bien describe usted en los primeros capítulos de su novela. Las precauciones que toman en esos momentos están justificadas, porque saben ya que Luis Mary se ha convertido en la sombra de Campuzano.

El inspector hizo una pausa algo teatral y continuó enseguida:

—Bien, entonces comienzan a pensar en el modo de presionar a Luis Mary de forma que les devuelva el dinero, pero sin que sospeche al mismo tiempo nada acerca de la falsificación. La suerte les juega una mala pasada, porque en esos momentos su amigo aparece colgado del gancho de la lámpara, en el salón de su casa.

—¿No lo hicieron ellos? —pregunté inquieto.

—Tenga paciencia, amigo. Eso lo veremos más tarde. Ahora entra usted en el juego y los falsificadores se tranquilizan momentáneamente, porque confían en la habilidad de Carolina para manejarle, de manera que les entregue todo sin escándalo. Entretanto, la policía ha detectado ya la falsificación y da aviso a los bancos y a los establecimientos públicos por si a alguien se le ocurriera poner en circulación

un nuevo billete. Eso es lo que hace usted la noche que cena con Carolina, y por eso mismo se produce la detención de ambos.

—¿Quién era el cerebro? —pregunté.

—En eso —respondió— demostró usted cierta intuición, porque no era otro que Menéndez Cueto, el jefe de investigación sobre el papel de los laboratorios Basedow. Tenía su propio laboratorio y contaba, para las pruebas, con la pequeña imprenta de la revista *Hipófisis,* que dirigía Campuzano.

—¿Por qué liquidaron a Campuzano? —pregunté con indiferencia.

—Se liquidó él solo. No pudo soportar la tensión a que estaba sometido, sobre todo después de la muerte de Luis Mary, que él relacionó equivocadamente con el asunto de la falsificación. Podía aceptar ser cómplice de una estafa, pero nunca de un crimen.

Pasé por alto la última observación, pues a esas alturas ya había advertido que el inspector me reservaba una sorpresa final, y pregunté:

—¿Y Carolina?

—Carolina era una buena cómplice, por eso no les importó negociar con ella. Sabía manejar a la gente y era la persona indicada para distribuir adecuadamente las partidas de dinero falsificado. Además, se trataba de una mujer prudente a juzgar por la acertada decisión de dejar fuera de todo a su marido, que sin duda era un insensato.

El inspector se calló en este punto y yo encendí un cigarro. Ahora me tocaba hablar a mí, pero temí preguntar lo que él esperaba: ¿Quién había matado a Luis Mary? Giré el cuello y vi el sol, que penetraba por una ventana con

barrotes. El día era tan cegador como los acontecimientos. Finalmente conseguí elaborar algunas frases:

—Mi actividad —dije— ha servido para cazar a un grupo de falsificadores. ¿Y mi novela? ¿Ha sido útil para localizar al asesino de Luis Mary?

El inspector me miró como si se encontrara muy alejado de mí y del mundo en general. Después abrió un cajón y sacó de él los folios mecanografiados. Los echó sobre la mesa y dijo:

—Esto es papel mojado, amigo, letra muerta, y más vale que sea así, pues, de tener alguna utilidad, ésta no sería otra que la de llevarle a usted a la cárcel.

—¿Y eso? —pregunté algo pálido ya, aunque con cierto tono indiferente.

—Bien —respondió con cansancio—, usted necesitaba que su amigo muriera, no ya para escribir una novela, sino para ser alguien simplemente. No abundaré en esa idea que está presente a lo largo de todo el relato. Sin embargo, el azar le hizo un favor gracias al cual descubrió que, si su amigo moría, ni siquiera necesitaría escribir esa novela, porque ya estaba escrita. Se lo diré de otro modo: esta novela en la que usted y yo hablamos ahora mismo fue escrita por su amigo Luis María Ruiz.

Se calló unos segundos para observar en mi rostro el efecto devastador de sus palabras. En seguida continuó:

—Es mentira que no volvieran a verse después de aquella tarde que pasaron juntos en el teleférico, detrás de Campuzano. Su amigo le llamó a los pocos días y se encontraron en la buhardilla que éste tenía en la calle de La Palma. Hablaron de los tiempos pasados, quizá también de las ambiciones adolescentes no realizadas, y entonces Luis

María le enseñó esta novela en la que al final nos encontramos usted y yo en una comisaría de Madrid. Por si fuera poco, y por uno de esos juegos a los que sin duda era muy aficionado, la había escrito en primera persona utilizando el nombre de usted y colocándose a sí mismo en el papel del muerto. Usted leyó el relato y le gustó, llegó a creer incluso que era suyo, pero había un testigo. Eliminó, pues, al testigo, al verdadero escritor, y cambió la firma. Le dije el otro día que en tiempos fui un buen aficionado al género policíaco y por lo tanto sé que, cuando un autor conoce el final, no puede evitar contarlo en el transcurso de la acción. Luis María sabía ese final y no deja de lanzar señales que lo explican. ¿Acaso no recuerda un capítulo en el que Carolina y usted están en la buhardilla de su amigo cuando ésta descubre un papel en el que hay una idea para una novela? Para esta novela precisamente. Por eso se encarga usted de destruir esa prueba. Teresa dice en otra ocasión, no sé en qué capítulo, que Luis María había escrito o estaba escribiendo una novela en la que sacaba a todos los amigos; hablaba también de esta novela. Y, en fin, ¿no recuerda las preguntas que hace usted a todo el mundo sobre si el muerto ha dejado algún manuscrito? Temía que hubiera una copia fuera de su control que pudiera delatarle. A todo esto aún habría que añadir el canto que hace su personaje al asesino solitario en el capítulo once, pero creo que no vale la pena insistir más en algo que resulta evidente.

El inspector puso las manos sobre la mesa en un gesto que quería decir que la función había terminado. Yo estudié sus ojos con desconfianza durante algunos segundos y al fin pregunté:

—¿Por qué no me detiene, pues?

—Porque no vale la pena, amigo —respondió—. Mi carrera profesional termina con este capítulo y a estas alturas me encuentro algo cansado. Recibirá usted un castigo peor que la cárcel: ser un mal detective de ficción. Irá de una novela a otra como un Caín imaginario, despojado de la realidad y de sus adherencias. No lo lamente; a fin de cuentas todo es tan imaginario como esta situación absurda que nos ha tocado vivir a usted y a mí durante estos últimos días.

Encendí otro cigarro y advertí que tenía ganas de llorar, pero logré contenerme. Dije:

—Siendo todo tan imaginario, ¿podría haber matado impunemente a Carolina aquella tarde, en la buhardilla de Luis Mary?

—Podría haberlo hecho —dijo—, pero quizá no impunemente. La realidad, amigo, es un espesamiento de la imaginación como la voz es un espesamiento del aire. Su crimen podría haber coincidido con uno de esos espesamientos o vuelta de noria, y le aseguro a usted que la realidad que llamamos cárcel puede llegar a resultar muy espesa.

Se levantó y sacó de un bolsillo el cheque de dos millones que me había dado Carolina entregándomelo a través de la mesa.

—Ahora, váyase —dijo.

Cogí el cheque, me levanté y me fui.

* * *

En la calle me acometió una sensación de irrealidad insoportable. La vida continuaba troquelada, aunque móvil,

y yo era un personaje de ficción en busca de algo espeso en lo que fundirme. Tomé un taxi y me marché a casa de Teresa. Me recibió un poco borracha a pesar de la hora. Nos sentamos uno junto a otro, en el sofá, y le conté el fin de la historia. Esperé su agresión, pero ésta no llegó a producirse. Al rato me preguntó:

—¿Estás triste por Carolina?

—Sí —dije—. Tú continúas siendo el amor de mi vida, a pesar de que representas ese espacio en el que todo se trascendentaliza o se convierte en otra cosa. Pero Carolina es dueña de un lugar distinto y maravilloso en el que todo se frivoliza porque todo en él es superficial y aparente. La esperaré.

—¿Y qué harás entretanto?

—No sé. Podría especializarme en sucesos para seguir conectado de algún modo a la investigación privada. Tal vez sea capaz de escribir otra novela distinta a ésta que para nosotros escribió Luis Mary.

—El autor de cualquier novela que escribas —dijo— será inevitablemente Luis Mary.

—Sí —respondí tristemente y sentí que se acababa el tiempo, aunque no sabría decir de qué tiempo se trataba. Entonces saqué el cheque de dos millones y se lo di.

—Toma, he conseguido esto para ti.

Lo miró largamente, con cierto gesto de avaricia. Luego preguntó:

—¿No anularán la orden de pago?

—No tendría sentido. Somos seres imaginarios con un talón imaginario entre las manos.

Entonces se acercó, me dio un beso imaginario y yo sentí una reminiscencia de otra vida, un sonido de pájaro

que atravesó años luz de odio y enloquecido penetró en mi cuerpo y a golpes recorrió sus zonas huecas. Ese sonido era el mismo que me había conducido a la casa, al ascensor, a la puerta del crimen.

# Apéndice

## Introducción

*Creador incansable*

Han pasado siete años desde que esta novela salió por primera vez de la imprenta y siete años son muchos años. Durante ese tiempo la novela no ha cesado de ser reeditada y por su número de ventas es hoy uno de los títulos que mejor acogida del público ha tenido dentro de la narrativa española contemporánea. Más de sesenta mil ejemplares vendidos en un país donde la tirada media no suele pasar de los cuatro mil ejemplares. Si bien no es cierto que la cantidad homologue la calidad, no deja de ser significativa esa reedición constante de este *Papel mojado* sobre el que hoy volvemos. Hace siete años escribimos el *Apéndice* que ha ido acompañando hasta ahora su edición. Creo que es un buen momento para volver sobre aquel escrito que fue acogido como útil por la crítica que se ha ocupado de la obra de Millás. Conviene volver sobre él porque los tiempos no pasan en balde y porque, además y lo más importante, durante este largo período de tiempo el autor ha continuado de manera significativa una trayectoria de narrador en cuyo último peldaño, hasta el momento, es necesario señalar la concesión del premio Nadal de este año con su novela *La soledad era esto.* Un largo camino narrativo que desde la aparición de *Papel mojado* se ha incrementado con la publicación de tres novelas: *Letra muerta* (Alfaguara, 1984), la novela que, como ya se avisaba en el primer *Apéndice,* Juan José Millás escribiera al mismo tiempo que la que hoy el lector tiene en sus manos, *El desorden de tu nombre* (Alfaguara, 1988) y *La soledad era esto* (Destino, 1990), que, como ya se ha anunciado, mereció el prestigioso premio Nadal de narrativa. Durante esos años también Millás ha dado a conocer en revistas y periódicos un rico caudal de cuentos y narraciones breves que al parecer serán recopilados y publicados próximamente

bajo el título, ya emblemático de su voz, de *En fin y otros relatos*. A pesar de los años transcurridos, *Papel mojado* sigue siendo una de sus obras primordiales. Porque, repetimos, los años no pasan en vano hemos querido proceder a la reelaboración de aquel *Apéndice* que acompañó a la novela hasta esta nueva reedición. De las partes que lo componían hemos respetado el entorno histórico, si bien lo hemos prolongado brevemente para acoger en él los aspectos de nuestra historia más reciente y también hemos mantenido la parte que correspondía al análisis concreto de la obra, pues nos sigue pareciendo válido y eficaz para los lectores. Entre uno y otro bloque del *Apéndice* insertamos ahora un estudio más global sobre la obra narrativa del autor, pues el paso del tiempo y la aparición de sus nuevos textos parecen exigir un enfoque general sobre ella y sobre el lugar y el significado de esta obra dentro del conjunto de su novelística. Sólo queda añadir en esta introducción que, si en el año 1983 su narrativa ya avisaba suficientemente sobre la calidad del autor, las obras que vinieron a continuación han confirmado aquella sólida sospecha y no caben muchas dudas a la hora de afirmar que J. J. Millás es uno de los grandes narradores de nuestra literatura contemporánea.

## El entorno histórico

*La postguerra*

En la tercera novela de Juan José Millás, *El jardín vacío,* uno de los personajes resume vivencialmente la situación de España en los años siguientes a la guerra civil: «Cuando yo crecí, ya estaba todo roto.» Rotas, en efecto, quedaron las ciudades, los campos, las fábricas, las conciencias, las biografías y las esperanzas. Sobre los trozos y cascotes de aquella España los vencedores intentarán alzar una tramoya imperialista llena de retórica y banderas, al tiempo que los vencidos se veían obligados a esconder, en lo más recóndito de sí mismos, sus señas de identidad.

Cuando en 1945 los ejércitos aliados derrotaron definitivamente a las potencias (Alemania, Italia) que apoyaban al régimen del general Franco, éste quedó aislado internacionalmente, y se inicia entonces una época de

autarquía o de autosuficiencia económica, cuyas consecuencias se traducen en escasez, paro y miseria. Las cartillas de racionamiento hacen su aparición: el estraperlo, el mercado negro y los grandes negocios sucios son el pan nuestro/suyo de cada día. Muchas familias emigran en busca de mejores oportunidades; unas, hacia América; las más cogen sus bártulos y con su pasado a cuestas «cambiando el mar por los descampados» se asientan en la periferia de las grandes ciudades. Los débiles grupos de resistentes que permanecen en las zonas montañosas del país son poco a poco exterminados. La represión cae sobre los que tímidamente intentan reorganizar la lucha en fábricas o empresas. Cuando en 1951 resurge un incipiente movimiento huelguístico, la represión se recrudece todavía más. Los vencidos, «los otros», callan, temen, sospechan y como pueden rehacen sus vidas. Alguien, quizás confundiendo ironía con crueldad, ha llamado a aquellos años *los felices cuarenta.* Más apropiado parece el sintagma «años de penitencia», que el escritor y editor Carlos Barral escogió para su libro de memorias. En 1946 nació Juan José Millás. Seis años más tarde su familia dejaría Valencia, su ciudad natal, para establecerse en un barrio madrileño de nombre sarcástico: «Prosperidad».

*Bienvenido, Mr. Marshall*

Como consecuencia de la guerra fría, los países occidentales, que ven en el régimen franquista un aliado contra el comunismo, vuelven a establecer relaciones diplomáticas, comerciales y militares con España. En 1953 se firma con Estados Unidos un pacto militar, y España comienza a recibir ayuda americana. Un pequeño plan Marshall. En las escuelas españolas se reparte leche en polvo para los niños, en los bares aparece la cocacola, en los escaparates se muestran los primeros pantalones vaqueros. En Torrejón y en Rota aterrizan los deslumbrantes aviones a reacción, y la economía española, empujada por el momento de auge mundial, se recupera gracias a una política de ayuda oficial a las empresas privadas, salarios bajos y paz social por decreto-fuerza. En 1956, un año después de la entrada de España en la ONU, la siempre latente agitación política llega a los medios universitarios. Al calor de las tibias

medidas aperturistas que introduce el ministro Ruiz-Giménez, los estudiantes intentan dejar al margen el sindicato único falangista y se producen graves enfrentamientos en las calles madrileñas. El ministro es cesado, y unos cuantos dirigentes universitarios pasan a respirar por un tiempo el aire triste de las cárceles. Muchos de ellos ocupan hoy un lugar relevante en la sociedad española: Javier Pradera, Enrique Múgica, Ramón Tamames, Sánchez Dragó, etc. La semilla del descontento y la rebeldía crecerá desde entonces en la Universidad.

A finales de los años cincuenta una nueva generación de políticos, o mejor una nueva familia de poderosos —el Opus Dei—, se incorpora a la clase dirigente del régimen. La ideología falangista pierde sus últimas fuerzas, y los tecnócratas entran en escena. Se establece un duro plan de estabilización económica, que acelera intensamente la ya tradicional emigración hacia el extranjero. España ofrece la mano de obra barata que los países europeos, en pleno crecimiento, reclaman. Las divisas que ese comercio humano proporcionará serán decisivas para el relanzamiento de la producción nacional. En 1962 entra en vigor el primer plan de desarrollo. El llamado milagro económico español se había puesto en marcha.

*La década prodigiosa*

Podría entenderse trivial y estúpido considerar que la eclosión de un grupo musical, «The Beatles», representa un hito histórico; sin embargo, por su significado, por lo que tuvieron de síntoma y símbolo de los nuevos tiempos, no parece desdeñable pensar que los años sesenta nacieron con su música.

El mundo occidental, España incluida, inicia su andadura por aquella década con una euforia que, si bien ocultaba, sobre todo en el caso español, serias grietas y quebrantos, introdujo una nueva mentalidad y hasta una nueva forma de estar en el mundo. Son los años de la coexistencia pacífica y de la música pop, del desarrollo científico-técnico y de la minifalda, de las hazañas astronáuticas y de la rebelión de los jóvenes.

En España el crecimiento económico es espectacular, aunque desequilibrado. En esa década se altera profundamente nuestra estructura productiva, y pasamos, de ser un país agrícola, a convertirnos en una semipotencia

industrial. El fenómeno del turismo masivo trastoca formas de comportamiento seculares. El trasvase de población desde el campo a la ciudad es brutalmente intenso. El automóvil se convierte en un bien al alcance de la mayoría, la televisión se instala como el nuevo dios de las familias, los españoles se asoman al consumo. Bien es cierto que no es oro todo lo que reluce. Ya en 1962 las fuertes huelgas mineras de Asturias —apoyadas públicamente por un significativo grupo de intelectuales— demuestran que el régimen no está dispuesto a ninguna clase de diálogo. La emigración al extranjero continúa a modo de amarga hemorragia; la contención salarial se mantiene, los grandes problemas asistenciales como educación, salud o vivienda no se resuelven. A pesar de todo, una parte importante del país se siente ya en «el nivel europeo», en el consumo, en el bienestar.

*El mayo español*

El desarrollo económico, innegable y visible, incrementa las contradicciones existentes entre una sociedad cercana al mundo europeo y un régimen político que sigue negando y violentando las libertades públicas mínimas. La Ley de Prensa de 1966, elaborada por Fraga Iribarne, supondrá una apertura considerable, pero no suficiente. En 1965 la lucha contra las instituciones franquistas se acentúa; a nivel laboral las huelgas devienen un acontecimiento usual y en las universidades el enfrentamiento es directo. Ese año la policía disolverá una manifestación multitudinaria de estudiantes madrileños apoyada por los profesores Tierno Galván, García Calvo y Aranguren. A lo largo de los años que siguen, aquellos en los que Millás participa activamente en las luchas universitarias, la contestación crecerá imparable y en enero de 1968 el Gobierno, desbordado por la ola de contestación, se verá obligado a ordenar el cierre temporal de las universidades más importantes del país. Poco después los estudiantes parisinos protagonizarán uno de los episodios más importantes de nuestro tiempo: la revolución de mayo.

*El último tango de Franco*

Quizá o más característico del tramo final del régimen del general Franco fue la disparidad total entre la España real, la de las gentes que viven, trabajan y se divierten, y la España oficial, la de quienes mandaban, prohibían y

reprimían. Una muestra, que podría servir como paradigma de aquellos tiempos, bien podría ser la que se produjo con ocasión del famoso film *El último tango en París,* pues mientras la España oficial lo prohibía, la España real organizaba excursiones masivas para poder verlo en los aledaños de nuestras fronteras. Todos parecían estar de acuerdo en que las cosas tenían que cambiar. Los partidos políticos, el comunista principalmente, ampliaban su penetración entre las fuerzas del trabajo y de la cultura. La iglesia se desmarcaba sensiblemente de la dictadura. Después de la voladura del almirante Carrero Blanco, llevada a cabo por activistas de ETA, el país entró en una sala de espera. Unos esperaban escépticos, otros confiados, algunos —por tanta espera— desesperados. En noviembre de 1975, poco después de que firmase la sentencia a muerte de cinco luchadores antifascistas, se extinguió la vida del general, cerrándose así una larga página de la historia de España. Una larga noche de piedra.

*Transición y democracia*

La herencia política que dejaba Franco era verdaderamente complicada. Por un lado, un país instalado socialmente en el mundo europeo; de otro, unas estructuras políticas ancladas en formas de comportamiento autoritarias. El discurso del nuevo jefe de Estado, el rey Juan Carlos, dejó entrever que los cambios profundos que los tiempos y la sociedad española en su conjunto reclamaban podían ser posibles siguiendo una vía de entendimiento pacífico. Sin embargo, los aparatos políticos oficiales, encarnados en la mediocre figura del presidente Arias Navarro, no parecían dispuestos a satisfacer las demandas que la historia exigía. Las revueltas ciudadanas del año 76 y la necesidad real de transformación que todas las fuerzas políticas del país, tanto las nacidas en la oposición como en sectores importantes de los cuadros franquistas, pedían —de ahí la famosa disputa sobre ruptura o reforma— acabaron por cristalizar en una transformación política básica cuando el nuevo presidente, Adolfo Suárez, convoca unas elecciones libres, legaliza al partido comunista, establece «de facto» las libertades políticas, y las cortes constituyentes, nacidas de aquellas elecciones en las que las fuerzas de centro y

derecha logran la mayoría, redactan una Constitución, que, con el consenso de la mayoría de los partidos políticos, es aprobada en diciembre de 1978.

*El desencanto*

El hecho de que los aparatos institucionales del anterior régimen: magistratura, ejército, policía, etc., continuasen ejerciendo su poder en el nuevo marco democrático, unido a la desacertada política del partido gobernante, provocó la aparición de un peculiar fenómeno entre los años 1978 y 1982: *el desencanto*. Las fuerzas de la cultura cayeron en una especie de desesperanza, que se tradujo en un apartamiento de los problemas políticos. Se tenía la sensación de que el dilema entre ruptura y reforma se había resuelto con un simple descosido y vuelto a coser. El fallido golpe de Estado de febrero de 1981 sacudió las conciencias. El país salió a la calle para manifestar su decidida voluntad de defender el sistema de convivencia democrática. Las elecciones generales de octubre de 1982 confirmaron este sentir general. Desde entonces han pasado cerca de ocho años y el mismo partido ha ganado por mayoría absoluta otras dos elecciones generales. En estos años la sociedad española ha sufrido profundos cambios. Junto a un desarrollo económico importante que ha hecho aumentar el nivel de vida de capas sociales bastante amplias de la población, subsisten problemas de paro y pobreza. España ha entrado en Europa y los valores de la vida cotidiana se han europeizado. Los valores o ideales colectivos que caracterizaron los últimos años del franquismo han desaparecido casi de manera total. El tejido social actúa movido por valores más individualistas. El bienestar personal parece ser la única ilusión o el único horizonte posible. La larga transición ha dado lugar a una sociedad más rica pero a la vez más egoísta, más pegada a los valores materiales y al consumo. El hedonismo individual se ha instalado en el corazón de la vida social y las nuevas ilusiones no pasan de la búsqueda del placer, el cuidado casi obsesivo por el cuerpo y la salud o por la compra del último modelo de automóvil. Gran parte de la generación a la que pertenece el autor de *Papel mojado* ha llegado a los puestos de poder y el pragmatismo da la impresión ahora de ser la única

ideología posible. Como se dice en la última de sus novelas, es una generación que ha pasado «de la revolución al dinero» y de la lucha por una sociedad colectivamente mejor al simple disfrute de las ventajas del poder.

## La novela española actual

*Panorama variopinto*

Escritores de muy distintas épocas conviven hoy en el mercado literario. Nos encontramos con los novelistas que conformaron la narrativa española de postguerra: Camilo José Cela, Miguel Delibes, Sánchez Ferlosio o Gonzalo Torrente Ballester. Son autores todavía en plena actividad, pero que, sin embargo, parecen haber dado ya de sí lo mejor de su obra. En cualquier caso han dejado de ser los maestros o los referentes narrativos de los novelistas más jóvenes. A su lado publican los autores que formaron la llamada generación del 50, los novelistas de la escuela realista, una tendencia literaria que, vista con la perspectiva que da el tiempo, se presenta como el bloque narrativo más brillante y homogéneo de la literatura española de postguerra. El realismo, ligado directa o indirectamente a la resistencia antifranquista, se proponía la creación de mundos que revelaran al lector las claves de una realidad que las circunstancias políticas de la época enmascaraban o ignoraban. En sus filas se agruparon autores tan reconocidos como Carmen Martín Gaite, Ignacio Aldecoa, Armando López Salinas, Jesús López Pacheco, Juan Goytisolo, Luis Goytisolo, Juan García Hortelano, Caballero Bonald o Juan Marsé. El grupo comienza a disgregarse al final de los años sesenta. Las transformaciones socioeconómicas, la tímida apertura a las literaturas europeas, el agotamiento de la escuela, el cambio de gusto en el público y la llegada del boom latinoamericano eclipsaron aquella forma o actitud frente al hecho literario. El realismo nacía de una actitud de compromiso civil con la sociedad, que cumplió su papel mientras el bloque cultural que se conformó alrededor de la lucha por la democracia mantuvo su coherencia. Al resquebrajarse ésta, la escuela inició su disolución. Generalmente se considera que la obra *Tiempo de silencio* (1962),

de Luis Martín Santos, anuncia la caída o superación del realismo. Consideramos, sin embargo, que el giro radical se produce algunos años más tarde alrededor de la figura y la obra de un autor que habría de generar un poderoso movimiento alternativo: Juan Benet.

*Escritores del realismo de los sesenta*

La asfixia de la escuela realista no se tradujo, en la mayoría de los casos, en el silencio literario de aquellos autores que habían formado parte de ella. De hecho, la mayor parte supieron reconvertir sus instrumentos narrativos y adaptar su visión a las nuevas realidades. Juan Marsé, por ejemplo, ya en 1965 había dado a conocer una de las mejores novelas de la narrativa contemporánea: *Ultimas tardes con Teresa,* y continuaría publicando obras tan relevantes como *Si te dicen que caí* o *Un día volveré.* Juan Goytisolo, que había participado muy activamente en el realismo más comprometido, inicia también por los mismos años un giro hacia posiciones narrativas más complejas con su novela *Señas de identidad* para a continuación, y a partir de *La reivindicación del Conde Don Julián,* adentrarse en una aventura literaria plena de originalidad. Juan García Hortelano abandona con *Gramática Parda* el realismo objetivo que hasta entonces había cultivado y Gonzalo Torrente Ballester recrea su propio Macondo a la gallega con *La saga/fuga de J.B.,* sumándose a la ola de realismo mágico que García Márquez y compañía habían puesto de moda. Carmen Martín Gaite, por su parte, se adentra en el intimismo con *Retahílas* y *Fragmentos de interior.* Todas estas obras quedan como ejemplos conseguidos de la renovación que supieron llevar a cabo los escritores del realismo.

*Juan Benet*

La ruptura con la sensibilidad narrativa del realismo viene, a nuestro entender, de la mano de Juan Benet. Frente a una concepción de la literatura como lugar de lo colectivo, de lo público, de lo civil o político en el amplio sentido de la palabra, la novelística de Juan Benet propone unos parámetros éticos y estéticos radicalmente diferentes. Novelas como *Volverá a Región, Una meditación* o *Un viaje en invierno,* provocaron en su momento —finales de los sesenta, principios de los setenta— un auténtico cambio en la sensibilidad literaria. Sus

novelas rompían el pacto implícito o explícito que se había establecido entre los escritores del realismo y los lectores de la cultura antifranquista. Su obra significaba la integración en nuestra literatura de una tradición —la anglosajona— que apenas había contado hasta entonces en nuestra cultura literaria. Con Benet la novela deja de ser el lugar de lo público para constituirse en espacio de lo privado en el que la memoria, tomada como metáfora o sombra del destino interior, jugaría el papel principal de la materia narrativa. Curiosamente esta revolución narrativa se producía a través de un corpus novelístico en el que la guerra civil ocupaba un eje central. La lectura que hace Benet de ese episodio básico de la historia contemporánea española implica su trasvase desde la Historia al Mito, desde lo colectivo a lo privado. Su obra supuso, de esta manera, la destrucción de los referentes imaginarios que habían poblado las novelas anteriores a él, y no solamente las referidas al realismo, sino que, remontándose de modo ambicioso en el tiempo, suponía también la puesta en cuestión de todo el siglo XIX y toda la generación del 98. Frente al «me duele España» que impregna y marca toda la novela española desde Galdós a Juan Goytisolo, Benet proponía el dolor como destino, la memoria como *fatum* y la derrota como lugar de la sabiduría. No es raro que su mundo, y algunas veces su prosa, recuerden al mejor Faulkner, pero sería injusto olvidar que la ironía, el humor e incluso la sátira, que pespuntean sus escritos, le confieren a su obra un sello absolutamente original.

*La influencia de Benet*

El poderoso influjo de este autor es más sorprendente si se tiene en cuenta que se ejerció a partir de una obra que se mantuvo casi siempre en ámbitos muy reducidos. Hasta muy recientemente —*En la penumbra*—, sus libros no llegaban a interesar al público más allá de un reducido círculo de lectores fieles. A pesar de eso, lograría muy pronto una consideración y un respeto que explican su enorme capacidad de influencia en los medios literarios. Sin embargo, la singularidad de su narrativa volvía imposible la creación de una escuela que siguiera sus pasos, pero sí sirvió como referente para toda una constelación de narradores que se implicaron

en la tarea de encontrar nuevas vías para la novela española.

*El principio de los sesenta*

A principios de los años setenta la situación de la narrativa española era de confusión, cuando no de extravío. El realismo estaba muerto, Benet era inimitable, el realismo mágico daba pobres frutos y nada nuevo aparecía. Es la época del experimentalismo, de los ensayos narrativos de laboratorio, en los que se tapaba o intentaba tapar el vacío narrativo con referencia a la revolución del lenguaje. En medio de ese marasmo que hacía huir al público, algunos autores lograban, a pesar de todo, dar cuenta de las agitaciones sociales y estéticas que se estaban produciendo. Ese fue el caso de Juan Cruz con *Crónica de la nada hecha pedazos,* José Antonio Gabriel y Galán con *Punto de referencia* o *La memoria cautiva* o Mariano Antolín Rato con *Cuando 900 mil mach aprox.* Pero el clima general era de desorientación y esterilidad.

*Eduardo Mendoza*

En 1975 aparecieron dos autores, Eduardo Mendoza y Juan José Millás, con dos novelas, *La verdad sobre el caso Savolta* y *Cerbero son las sombras,* que abrirían el horizonte de lo que bien puede ser considerado como el espacio narrativo actual. Su impacto será, sin embargo, bastante distinto, pues mientras que la novela del primero de ellos fue inmediatamente celebrada por la crítica y bien acogida por el público, la del segundo, Juan José Millás, mal distribuida, si bien gozó del refrendo positivo y unánime de la crítica, apenas alcanzó a darse a conocer entre el público. Con *La verdad sobre el caso Savolta* la novela española salía del pantano experimentalista. Escrita con una limpieza que la volvía transparente, utilizaba los registros literarios más populares, desde el folletín a la novela policiaca, pasando por la crónica y la novela rosa. El caso Savolta era el reencuentro del público con una novela con una trama bien construida y con una intriga que facilitaba la lectura. Al mismo tiempo, su autor sabía evocar un período muy concreto de la historia contemporánea: el anarquismo catalán. Esta capacidad para cautivar al lector, para hacerle sonreír, para seducirlo en definitiva, la mantendría Mendoza en sus obras siguientes, *El misterio de la cripta embrujada* y *El*

*laberinto de las aceitunas,* en las que un original cóctel de picaresca y novela negra, sostenido con un lenguaje entre clásico y coloquial, permitía que se cumpliese el primer requisito que el público suele exigir a una novela: que no aburra. Más ambiciosa que las dos novelas citadas anteriormente sería su siguiente obra, *La ciudad de los prodigios,* en la que Mendoza reconstruye, a modo de gran friso, la Barcelona de primeros de siglo. Para muchos ésta sigue siendo su novela más lograda.

*Juan José Millás*

Juan José Millás se daría a conocer al público de una manera amplia con *Visión del ahogado.* El rigor en la construcción, la conjunción de elementos narrativos y reflexivos, el acercamiento a los problemas de una generación y la delicadeza con la que acertaba a tratar temas como la traición, el abandono, el desamor, la ceguera sobre uno mismo o la atracción erótica, hizo que pronto esta novela y su autor se convirtiesen en un referente para los escritores más jóvenes. Poco a poco, Millás lograría con sus novelas siguientes constituir uno de los espacios narrativos más sólidos de la narrativa actual. En el apartado siguiente de este *Apéndice* estudiaremos con atención toda su narrativa.

**La «nueva narrativa española»**

Si estos dos autores abrieron el horizonte de la novela española posterior al realismo y al experimentalismo, el grupo de novelistas que los suceden generacionalmente constituirían un auténtico fenómeno cultural. Entre 1980 y 1985 se conforma un grupo de jóvenes narradores que ha dado lugar a la aparición de lo que ha venido llamándose «nueva narrativa española». Obras y autores como *Belver Yin,* de Jesús Ferrero, *La dama del viento sur,* de Javier García Sánchez, *El bandido doblemente armado,* de Soledad Puértolas, *Luna de lobos,* de Julio Llamazares, *Beatus Ille,* de Antonio Muñoz Molina o *La media distancia,* de Alejandro Gándara, componen en aquellos años toda una renovación narrativa que si bien se apoya en algunas de las claves con las que se levantaban las novelísticas de Mendoza o Millás, aporta una frescura a la novela a la que el público presta interés y otorga

beneplácito. Por primera vez en muchos años la atención del público y de los medios de comunicación se centra en los narradores españoles. La fuerza del nuevo fenómeno es tal que pronto demuestra su fuerza expansiva al lograr que bajo ese rótulo se integren autores que en principio no coinciden generacionalmente. Es el caso de los que hemos considerado sus precursores, Millás, Mendoza, pero que también integra a otros como José María Guelbenzu, un francotirador hasta el momento y autor de una obra tan compleja como *La mirada,* o como Javier Tomeo, que se redescubre como original narrador en *El castillo de la carta cifrada* o *Amado monstruo.* Algo semejante sucede con Javier Marías, el autor de una de las mejores novelas —*Todas las almas*— de los últimos años, o con Félix de Azúa e incluso con un autor muy lejano en edad, Juan Eduardo Zúñiga, pero que ve cómo sus libros *Largo noviembre en Madrid* o *La tierra será un paraíso* se incorporan a ese extraño fenómeno que es la «nueva narrativa». Otro ejemplo de esta capacidad integradora sería el de Manuel Vázquez Montalbán, el introductor y recreador en España de la novela negra —camino por el que le seguirían Juan Madrid o Andreu Martín— y que también ha sabido mantener una actitud civil —próxima éticamente a la del realismo— en aquellas novelas en las que recrea los problemas de nuestra soledad.

*La literatura como espacio de placer y de consumo*

La fuerza de la llamada «nueva narrativa» —que, como hemos visto, algunas veces poco tiene de nueva— ha hecho pensar a muchos que detrás del fenómeno se esconde tan sólo un problema de marketing o propaganda. La dimensión de interés editorial no está, por supuesto, ausente —los editores ven que los narradores españoles venden y buscan nuevos nombres para sus catálogos—, pero una explicación de este corte es demasiado simple y, por lo tanto, engañosa. La sociedad española ha sufrido en los últimos años transformaciones profundas que han dado lugar de manera indirecta a un cambio de actitud del público frente al hecho literario. De la literatura como cultura con mayúscula o como signo de identidad ideológica se ha pasado a la literatura como espacio de placer y de consumo y la nueva

narrativa parece haberse puesto, en gran parte, al servicio de esta nueva sensibilidad, ofreciendo al mercado, al lector, obras con contenidos más propicios para la autosatisfacción que para el autoconocimiento, lo que explica que muchas veces sea calificada de «light» o blanda. Algo de razón hay sin duda en estos juicios. La realidad inmediata no está presente en muchas de las novelas de los nuevos narradores, aunque de manera indirecta la mirada sobre la actualidad tampoco está ausente. El espacio de la acción novelesca es a menudo el extranjero, lo exótico. La trama degenera muchas veces en simple tramoya y abundan las novelas escritas en primera persona, en las que el narrador parece desligarse de la realidad a través de un tono escéptico que parece reforzar la ausencia de valores que hoy se detecta en nuestra sociedad. El escepticismo de carbonero es muchas veces el elemento definidor de los contenidos y éstos muchas veces se recrean a partir de clichés estéticos que, como el cine o la novela negra, están ya asimilados por el público, del que sólo se pretende aparentemente captar su complicidad. Estas características que denotan una concepción de la narratividad al servicio del lector —con el peligro de caer en una literatura servil frente al mercado— son perceptibles en muchos de los nuevos narradores. El gusto por las tramas circulares, la inserción de elementos de la novela policiaca, la creación de personajes estereotipados y, sobre todo, el no cuestionamiento de los valores éticos y políticos de la sociedad son rasgos presentes en buena proporción de esos nuevos narradores. Sin embargo, y al lado de esa ligereza o superficialidad, conviene no olvidar que la mayoría de ellos utiliza un lenguaje cuidadoso, sugestivo y seductor. Contrariamente a otras épocas, en las que una tendencia narrativa predominaba sobre las obras, en este momento parece existir una convivencia de actitudes narrativas muy diversas, si bien el acento en lo narrativo está presente en todas ellas. No conviene olvidar, sin embargo, que al lado de obras ligeras, intrascendentes, blandas, han aparecido otras y autores de indudable calidad. Piénsese en obras como las de Millás o Mendoza, en *Todas las almas,* de Javier Marías, en *El diario de un*

*La importancia del lenguaje*

*hombre humillado,* de Félix de Azúa, en *El bobo ilustrado,* de Gabriel y Galán, en *Los delitos insignificantes,* de Alvaro Pombo, *La fuente de la Edad,* de Luis Mateo Díez, *La orilla oscura,* de José María Merino, *Amado monstruo,* de Javier Tomeo, en *La tierra será un paraíso,* de Juan Eduardo Zúñiga, *El invierno en Lisboa,* de Antonio Muñoz Molina, en *El mecanógrafo,* de J. García Sánchez, o en *Mi hermana Elba,* de Cristina Fernández Cubas, y podrá comprobarse cómo rechazar de plano la realidad de la nueva narrativa conlleva el grave riesgo de no distinguir suficientemente lo que es mera cantidad de lo que es indudable calidad. Por supuesto que la cantidad nunca es garantía de calidad, pero es indudable que la narrativa española atraviesa un buen momento. Hay lectores, hay autores y nuestros novelistas empiezan a ser traducidos con normalidad a otras lenguas. El balance es positivo si bien, como balance, es provisional.

**El autor**

*Infancia*

Juan José Millás nació en Valencia el 31 de enero de 1946. Cuarto de un total de nueve hermanos, vivió en la capital levantina hasta los seis años, en que se trasladó toda la familia a Madrid. Precisamente dos de sus novelas, *Cerbero son las sombras* y *El jardín vacío,* recogerán, reelaboradas, escenas de aquel viaje y del pequeño barrio de casas bajas donde la familia se instala.

*Adolescencia*

Los primeros años del bachillerato los cursará en el colegio de los padres claretianos. Su recuerdo, o por mejor decir, su olvido de aquellas aulas está teñido de tonos ásperos, grises, ácidos, que habrán de reaparecer, muchos años después, en el significativo poema que a continuación recogemos de la revista *Los Papeles de Son Armadans:*

> *¿Vas a olvidarlo todo? Dime entonces*
> *por qué sobreviviste, con qué objeto*
> *superaste la infancia dolorosa,*
> *la adolescencia inútil, más inútil*
> *que la breve, aunque puta, juventud.*
> *Recuérdalos sus nombres, que el rencor*

*ocupe los lugares desertados*
*por la rabia y el odio. A tus primeros*
*profesores no los olvides nunca*
*porque les debes todo cuanto eres.*

Continuará estos estudios pasando por diversas academias de barrio que, en *Visión del ahogado,* recreará con notable acierto mediante —indica Carmen Martín Gaite— «una evocación en cierta manera onírica, con mayor veracidad de la que podría transmitirnos una descripción realista más detallada».

*Devorador de novelas*

Entre los nueve y quince años se convierte en un devorador de novelas. Robinson Crusoe, Gulliver, El capitán Nemo y Guillermo Brown poblaron su mundo. El mismo confesará que aquellas lecturas le ayudaron a sobrevivir actuando como compensación de las horas tediosas, cuando no terribles, padecidas en el colegio «en donde desde luego no aprendí nada que me haya sido útil para vivir». También por entonces y de forma espontánea leyó a Mauriac, Hamsun, Hesse, Faulkner. «En realidad —cuenta—, descubrí primero los libros que la literatura. Mis padres tenían una cuenta en la editorial Aguilar que yo utilizaba a escondidas para satisfacer mis deseos de lectura. El prestigio de los autores que leía lo conocí mucho más tarde.»

El curso preuniversitario, que realiza en el Instituto Ramiro de Maeztu, será crucial para su biografía. Coincide allí con tres profesores, Magariños, García Moreno y Emilio Miró, de cuyo rigor científico y calidad humana se beneficiará grandemente. De Magariños recoge la afición por los clásicos y la obsesión por la búsqueda de la palabra exacta. Con Rafael García Moreno sistematiza sus lecturas filosóficas: Gorgias, Platón y Spinoza entrarán a formar parte de sus referentes culturales. De Emilio Miró recogerá el interés por la historia literaria y el análisis de los textos.

*Trabajos y universidad*

Se matriculó en la Facultad de Filosofía y Letras de la Universidad Complutense de Madrid. Años después se instala como director de un colegio privado en la pequeña localidad de Miraflores de la Sierra, donde inicia la redacción de su primera novela (inédita). En

diciembre de 1974 un jurado compuesto por Juan Antonio Cabezas, Juan García Hortelano, Alfonso Grosso, Ramón Nieto, Javier Osborne y Joaquín Arozamena le otorga por unanimidad el premio Sésamo de Narrativa que se publica al año siguiente. Desde entonces ha venido publicando de manera regular. Alterna la creación literaria con el trabajo de ejecutivo en una conocida empresa nacional.

**La narrativa de Juan José Millás**

Cerbero son las sombras

Cuando en 1975 aparece la primera novela de Juan José Millás, *Cerbero son las sombras,* la narrativa española caminaba entre la desorientación y la confusión. La novela realista, que había ocupado durante los años cincuenta y sesenta el lugar de privilegio dentro de la literatura española, había sido enterrada y repudiada. El agotamiento de su propia fórmula, la evolución del público para el que había sido destinada y la irrupción de obras estéticas narrativas —desde Juan Benet al «boom» latinoamericano— la habían arrinconado al baúl de los recuerdos. Lo malo es que nada hasta el momento había venido a sustituir al realismo crítico, social u objetivo. Benet, con su obra, certificó su muerte, pero su mundo narrativo era inimitable y los que intentaron seguirle apenas lograron pasar del ejercicio de estilo. Los latinoamericanos también intervinieron en el cambio de gusto del público, pero las imitaciones del realismo mágico dieron poco de sí. La narrativa se movía en su propio extravío y a ese extravío vino a llamársele experimentación. Nadie sabía muy bien lo que era eso, pero cualquier novela que rompiese con las formas y las intenciones del realismo merecía esa etiqueta que, más que enunciar, encubría incapacidades y disfunciones. Eran años en los que el público volvía una y otra vez la espalda a sus narradores, a la vez que éstos se refugiaban en el pretexto de la revolución del lenguaje, la subversión de la sintaxis y el rechazo del argumento. No es por eso extraño que la aparición de la primera novela de Millás llamase la atención de los críticos más atentos: en aquella novela había otra cosa. Cierto también que aquel

mismo año otra novela, *La verdad sobre el caso Savolta,* de Eduardo Mendoza, también había acaparado la atención de la crítica y el público por la frescura con que abordaba un argumento político escrito en tono paródico y falsamente policiaco. La novela de Millás tuvo menos suerte con el público. Había ganado, por unanimidad del jurado, el premio Sésamo, pero una mala distribución impidió su conocimiento por parte de gran parte de los lectores. Su lectura, además, no era tan transparente y cómoda para el lector como la novela de Mendoza. Con todo, la crítica no dudó a la hora de afirmar su rotunda calidad. Dámaso Santos indicaba que la novela representaba el descubrimiento de un narrador, y Manuel Rodríguez Rivero veía en ella «la presencia de un mundo de tinieblas que ha sido, en cierto modo, el de muchos». *Cerbero son las sombras* está edificada, desde su comienzo, como una larga carta al padre: «Querido padre: es posible que en el fondo tu problema, como el mío, no haya sido más que un problema de soledad. Y sobre todo, de no haber encontrado el punto medio entre la soledad y los otros». No es extraño que con este arranque muchos hayan querido ver en *Cerbero* la sombra del famoso texto de Kafka, *Carta al padre.* Ambos textos son, sin embargo, radicalmente diferentes, aun cuando, efectivamente, el aliento del autor de *La metamorfosis* sobrevuele en algunos momentos la narración millasiana. Pero a diferencia del texto kafkiano, *Cerbero* no es un ajuste de cuentas con el padre, sino un acto de compasión *con* él y la lectura que se propone no puede reducirse a un simple código antiedípico. En la originalidad y extrañeza de esta actitud encuentra Gonzalo Sobejano —autor de un magnífico estudio monográfico sobre Millás— una de las claves de la novela. La larga rememoración sobre la que se edifica *Cerbero* es mucho más que la esperable y usual —en una primera novela— exploración de la intimidad. El padre, el receptor simbólico de la carta, es el lugar de lo íntimo, de lo privado, pero es también, y sobre todo, el lugar de lo público, de lo colectivo, es decir, de lo ético. La elección de esta actitud explica la originalidad de esta novela en el momento literario en que su publicación tiene lugar,

*Un mundo de tinieblas*

Carta al padre, *de Kafka*

cuando el experimentalismo se dedicaba a mirarse el ombligo del lenguaje y los enterradores del realismo de antaño buscaban desesperadamente una tradición desde la que poder legitimar su mirada sobre el mundo. La doble tensión entre lo exterior y lo interior vertebra el discurso de *Cerbero* y en esa tensión «entre la soledad y los otros» caminará toda la producción narrativa posterior de Millás. El peso de lo real, la sensación de opresión existencial, de horror, no funcionaban en aquella primera novela como efectos góticos o tremendistas, sino como encarnaciones de la imposibilidad de liberarse de las trampas de la moral exterior, dejando patente el mal oscuro que acompaña a la escisión entre el ser y el debería ser. La miseria que puebla las esquinas y sótanos de esta novela no proviene del fatalismo que la cruza, de la presencia de historias tan duras como la muerte y enterramiento en el armario familiar del hermano del narrador, ni de la derrota patética del padre. Proviene de la constatación por vía narrativa de que, por muy cruel que pueda ser el tiempo imaginario, el tiempo real será todavía mucho más implacable.

*Fuerza narrativa*

Aparentemente, *Cerbero* es una novela que se apoya de manera predominante en materiales reflexivos y esa era la primera impresión que la lectura transmitía. Sin embargo, esa hipérbole moral que la novela deja como huella en el lector —y que sin duda tiene que ver con lo que Sobejano llama «perversa aureola de santidad»— no proviene tanto de los enunciados explícitos como de la fuerza narrativa que circula por el texto, es decir, de su fábula.

Ciertamente puede ser demasiado fácil —a toro pasado y con la perspectiva que da el tiempo— ver en esta primera novela claves y motivos de sus obras posteriores. No se trata de ejercer de adivino a posteriori, pero sí conviene hacer ver que el espacio de cómo construirse «entre la soledad y los otros» bien valdría como paradigma de toda su narrativa. El papel de los otros, «el infierno son los otros» que dijo Sartre, desempeñará en toda su obra un lugar de suma importancia y dentro de esos otros los personajes primigenios: padre y madre sobresaldrán por su condición de espejo, reflejo y

rechazo. «Uno no se reconciliará nunca con el mundo si previamente no se reconcilia con su madre», se dice en *Cerbero,* y dieciséis años más tarde no es difícil encontrar en esa frase el origen de su última novela hasta el momento: *La soledad era esto.* Pero además están ya en esta novela las características básicas de su lenguaje y de su sintaxis narrativa: el gusto por la extrañeza, por la búsqueda de lo siniestro en lo familiar, el distanciamiento de lo narrado a través de un lenguaje seco y tenso a la vez, la utilización conjunta del grado cero y el grado poético de la escritura o la presencia en su mundo de una estética y una ética que hunde sus raíces en la exploración de la lucha de clases, en la conformación de la subjetividad privada y de las sensibilidades colectivas. Como bien ha indicado en alguna ocasión el escritor Vázquez Montalbán, *Cerbero* era ya una novela sólida y *crecida* y su obra posterior es «un crecimiento desde el crecimiento».

Visión del ahogado

Con su segunda novela, *Visión del ahogado,* aparecida en 1977, le llega el reconocimiento público a Millás. Con ese título la prestigiosa Editorial Alfaguara daba a conocer una nueva colección en la que nuestro autor aparecía flanqueado por dos nombres de enorme relieve: Benet y Cortázar. Si la recepción del público fue muy favorable, cabe decir que la de la crítica fue absolutamente entusiasta. Los comentarios críticos insisten en la perfección de la estructura, en el dominio de los tiempos narrativos, en la precisión descriptiva y en el poder de los personajes. Carmen Martín Gaite puso de relieve el excelente pulso literario con que el autor alternaba las líneas argumentales, Félix Grande lo compara con Onetti y Pavese, Andrés Amorós se sorprende por su coherencia interna, mientras que Luis Suñén constata que hay en Millás un narrador con visos de totalidad, mientras que Ignacio Javier López, de la Universidad de Virginia, dedica al libro una enjundiosa monografía en la que no duda en afirmar que con ella el autor «recupera ese rango de suceso vital, de vividura, que Américo Castro enunciaba como característico del género novelesco desde Cervantes».

Este mismo autor cree ver en *Visión del ahogado* una

estructura novelesca cercana al modelo bovaryano, es decir, a la novela de adulterio. Efectivamente, esta segunda novela de Millás se desarrolla, en apariencia, sobre una clásica relación triangular. Digo aparentemente porque en nuestra opinión tal relación no delimita el espacio narrativo o, al menos, no lo agota. La acción narrativa transcurre en tres momentos temporales distintos. Luis «el Vitaminas», uno de esos personajes que Millás ha regalado a la pequeña historia de la literatura española, huye de la policía. Hace un año que se ha separado de su mujer, Julia, quien en ese mismo momento está acompañada de su amante, Jorge, amigo de Luis y antiguo compañero en una academia de enseñanza de los años de la adolescencia. El presente, el pasado reciente —el momento de la separación— y el pasado remoto —la convivencia en la siniestra academia—, estructuran el largo relato en el que, a modo de contracara, aparece un cuarto personaje, Villar, también ligado al mundo de la adolescencia. No creo que la novela pueda ser llamada una novela de adulterio, aunque ciertamente el mundo bovaryano se encuentre como telón de fondo. *Visión del ahogado* es una novela generacional, la novela de una generación fracasada y aplastada tanto por sus propias falsedades internas como por la degeneración y fraude moral de la sociedad en la que ha crecido. La historia de una generación —la que de alguna forma corresponde con las revueltas del 68— que careció de modelos de comportamiento sólidos y hubo de buscar en el cine, en los cancioneros sentimentales, o en la mala conciencia política, sus modos y maneras de supervivencia. Si se tiene en cuenta la fecha de la publicación, se echa una ojeada a los posteriores tiempos del desencanto y a los modos y valores de la sociedad actual —en la que esa generación está instalada en el poder—, no deja de sorprender la clarividencia y acierto en el análisis de las conductas que esta novela revelaba. Pero no se crea que *Visión del ahogado* es una novela testimonial al uso. Los materiales de la realidad no son el punto de llegada de la novela, sino su punto de partida. Como en el resto de las novelas de Millás, el eje narrativo descansa sobre el proceso de construcción de

*La acción narrativa*

*Novela generacional*

la propia individualidad, en los espejos con, o contra, los que cada uno se construye o se deshace. «Es como su no fuéramos capaces de alimentarnos con nuestra propia experiencia... Durante los últimos años no hemos vivido nuestra vida, sino que hemos imitado la de los otros; o, mejor dicho, la que creíamos que vivían los otros. El cine —dice uno de los personajes— y las canciones nos han proporcionado unos modelos de comportamiento que no guardan ninguna relación con nuestras circunstancias, y nosotros hemos ido por ahí, como idiotas, inventando un pasado intenso y doloroso, porque no sabemos disfrutar de nada, excepto del dolor, siempre y cuando nos llegue convenientemente aderezado.» El impulso de salir de esa cárcel que es el otro en cuanto espejo es lo que mueve al protagonista a romper su matrimonio, a ofrecer a su amigo Jorge el adulterio con su mujer y a escapar hacia una vida marginal en la que el único deseo posible es la autodestrucción, pero en la que ésta también se revela como una trampa, pues el mundo de los espejos es un mundo cerrado: al final uno lleva todos los espejos dentro, los ha interiorizado y constituyen su verdadera enfermedad, su auténtico veneno. «El Vitaminas» da vueltas alrededor de la casa de su mujer mientras que ella y su amante dan vueltas alrededor de ellos mismos. Nadie se ama. Todos se usan. La historia de una generación que no ha encontrado ningún espejo capaz de sacarla de su propia imagen narcisista.

*Adulterio y autodestrucción*

Desde el punto de vista que podemos llamar formal, *Visión del ahogado* se caracterizaba por la presencia de un material narrativo más puro que el presente en su novela anterior, al que acompañaba, casi de manera equilibrada, un fuerte bloque reflexivo que dirigía y controlaba la lectura, adelantándose en cierto modo a la reflexión del lector. Este fuerte control le otorga a la novela una coherencia y una solidez extremas que contrasta favorablemente con la agilidad narrativa que tiñe todo el texto. No es de extrañar que la novela se siga reeditando con éxito y que la crítica la continúe considerando como una de las grandes novelas de los últimos años.

El jardín vacío

*El jardín vacío,* la novela que publica en 1981, era hasta hace bien poco —la ha reeditado la Editorial Alfagua-

ra— la novela secreta de Juan José Millás, y para muchos la novela más millasiana de todas. Con el tiempo, los millasianos —que los hay— la siguen considerando como su novela más emblemática. Esta actitud parece corresponder al hecho de que, en efecto, *El jardín vacío* es su novela más oscura, difícil y hermética. Gonzalo Sobejano, en un artículo sobre *Testimonio y poema en la novela contemporánea,* le otorga junto con *Saúl ante Samuel,* de Juan Benet, la condición de novela poema: «Texto concebido desde la actitud compenetrativa con un mundo, más que desde la representadora, parafrasea los secretos de una conciencia que gira alrededor de sí misma según un ritmo, y su lenguaje persigue un sugestivo concierto de imágenes. Sería, así, una novela lírica, cuyo lirismo admite, sin embargo, pormenores prosaicos y sórdidos en una trama (si de tal puede hablarse) orientada del odio a la venganza.» Dividida en nueve capítulos, su estructura llama poderosamente la atención. Los impares están ocupados por unos extraños mensajes que el protagonista envía a unos supuestos correligionarios, miembros de la organización secreta «El muelle real», con indicaciones sobre diversos planes de terrorismo cotidiano —matar palomas, por ejemplo— que encierran todo un sentimiento de rebelión y venganza contra la vida sin especial connotación política o ideológica, salvo los ecos del nihilismo radical. Los pares entrelazan dos secuencias temporales. Una con la historia de la infancia y adolescencia del protagonista y su familia —en un ámbito familiar semejante al de su primera novela—, y otra con la vuelta de Román a la casa familiar con el propósito de recuperar la vieja enciclopedia de su padre. La atmósfera, entre onírica y opresiva, tiñe todos estos capítulos en los que la acción narrativa clásica —una trama de episodios apoyada en las relaciones de los personajes— apenas aflora. Sabemos algo de la historia: un padre que huye, un hermano pequeño que el padre mata sin querer y cuyo cuerpo se entierra en el jardín —recuérdese el armario donde se entierra a otro hermano en la novela *Cerbero son las sombras*—, el cochecito de un niño, la presencia difusa pero absorbente de la madre, una hermana en la que se

*Estructura de la obra*

proyectan los deseos, un hermano mediocre, la extraña historia de un revólver que se oculta en un balaústre. Son todos elementos casi evanescentes, pero preñados de una enorme fuerza connotativa y significativa. La tensión dialéctica entre los dos bloques narrativos llena toda la narración de un tono entre siniestro e inocente que impregna la lectura de una extraña magia oscura. No es una novela de fácil entrada y es comprensible la sensación elitista de la que parecen disfrutar sus degustadores. Pero una vez más el mundo de Millás se deja penetrar a través del texto. El mundo del crecimiento, del proceso de socialización de la conducta, del carácter y de la sensibilidad están presentes. Cierto que se aborda este eje desde una perspectiva mucho más oblicua que en sus obras anteriores, pero tomada la obra en su conjunto parece claro que la tensión dialéctica entre el bloque de la historia familiar y el bloque de los mensajes seudoterroristas, obliga o exige explicar de ese modo la construcción, no sólo del universo imaginario del protagonista, sino su sintaxis del imaginar, es decir, el aprendizaje de sus maneras de configurar y representar el mundo. Desde esta perspectiva, la famosa oscuridad de esta novela *aclara* la construcción del universo simbólico de la narración que ya no requiere un tratamiento lineal sino que, al contrario, y por medio de los espacios muertos —lo no explícito—, señala los hitos con los que se edifica el daño, la personalidad del asolado protagonista, buscando o, como dice Sobejano, persiguiendo «los rastros de su propia identidad a través del pasado que, desde su sueño de agonía, exhuma», y como emblema de toda esa persecución que se persigue a sí misma, la figura materna, el haz y el envés de una vida que se reconoce como imposible, como inútil y como estéril. No hay en esta novela salida alguna, no se anuncia —ni en negativo— una ruta de reconciliación ni, mucho menos, de esperanza. Todas las apuestas son inútiles. Como si ya alguien, la madre, la infancia, el daño, hubieran apostado por nosotros. El jardín está vacío y es necesario acabar y acabarse en él. Acaso sólo quede recuperar las palabras, la Enciclopedia, y recomenzar desde otro espejo cuando ya todo estuviere destruido.

*Tensión dialéctica*

Papel mojado

Es comprensible la reacción de sorpresa que los muchos seguidores que Juan José Millás mantenía entre el público lector sintieron cuando, dos años más tarde, se encontraron con su nueva novela: *Papel mojado,* la novela a la que estas notas acompañan. Al menos en la superficie, la relación entre la dura novela anterior y la aparente facilidad de su nueva novela no dejó de crear desconcierto. El hecho de que apareciese en una colección de clásicos juveniles desconcertó todavía más a los millasianos de toda la vida, y la crítica, en la mayoría de los casos, habló de un divertimento menor, de un respiro en medio de su narrativa mayor. Lo curioso es que tal juicio no era ni cierto ni incierto, sino todo lo contrario. Ocurría —y pronto el autor aclaró la situación— que, mientras redactaba su novela siguiente, *Letra muerta,* le surgió la idea de escribir una novela policiaca. Según él mismo ha contado en alguna entrevista, le surgió como un reto y como un desafío frente a la fuerte estructura de un género por el que se había interesado y sobre el que llegó incluso a publicar algún breve ensayo (ver su *Introducción a la novela policiaca* incluida en la edición de *El escarabajo de oro y otros cuentos,* de E. A. Poe, publicada en esta misma Colección). Lo que nació, efectivamente, como un descanso en la escritura de su novela pronto se le reveló como una actividad insoslayable, placentera y, lo que es más extraño, reveladora de su propia escritura. Conviene por eso considerar que, aunque aparecida un año más tarde, es *Letra muerta* la obra que cronológicamente ocupa el puesto posterior a *El jardín vacío* dentro de su trayectoria de narrador.

Letra muerta

De alguna forma, *Letra muerta* enlaza con uno de los ejes de actuación de *El jardín vacío.* El protagonista es un modesto funcionario que apenas siente interés por las invitaciones que recibe para participar en reuniones clandestinas. Como él dice: «A estas alturas del siglo el salario nos lo subirían sin necesidad alguna de reivindicar esa subida. Con un poco de lucha podríamos conseguir dos o tres puntos más, tal vez cinco, pero esos cinco puntos no nos van a sacar de la situación que padecemos. [...] La única satisfacción social que espero recibir a

estas alturas se refiere a cuestiones así de sencillas: que al director le salga un hijo drogata, o que a la mujer del jefe de personal la cacen robando en una tienda de lujo.» Es un rebelde radical, un posible miembro de El Muelle Real, y por esa vía se dejará persuadir por la Organización. Siguiendo sus dictados entra en una orden religiosa para, desde dentro, destruirla. Es un personaje regido por el rencor. «Porque la construcción del rencor no acaba nunca; sus materiales son imprecisos y cambian según el día o la estación del año que discurre.» Cuando se inicia el relato lleva dos años dentro de un convento esperando, primero con impaciencia, luego con indiferencia, que la Organización le dé instrucciones. Está perdido y en sus ratos de ocio escribe una especie de diario —letra muerta, pues el remitente es al mismo tiempo el receptor— en el que nos cuenta su vida dentro de la estructura religiosa en la que se ha infiltrado. Pronto descubrirá que las apariencias son la única realidad. Es la propia organización religiosa la que ha creado la ficción de una Organización contraria y, cuando el protagonista quiere darse cuenta, su vida ya no tendrá salida: «La máscara acabó por encarnarse en la versión definitiva de mi actual estado». La novela fluctúa entre la metáfora y entre la alegoría. Metáfora de la existencia absurda y alegoría de una vida en la que las apariencias no engañan porque todo es apariencia. Este descubrimiento le hace poner en cuestión cualquier estrategia de pensamiento. No se piensa: se actúa. Pensar es inútil. En determinado momento reconoce que hasta el momento su vida había sido un discurso vacío: «Por eso creo que en el futuro tendré que intentar, en lugar de hablar de lo que escribo, escribir lo que hago», y esa lección le será confirmada cuando, una vez descubierta toda la superchería, su compañero Seisdedos le haga ver que su problema residía en sus propias limitaciones de clase o base: «Usted ha querido siempre tener una experiencia de lo permitido, a condición de que el precio que hubiera de pagar no fuera demasiado alto... Actuará usted en sentido contrario al que pretendía actuar como terrorista, pero actuará, que es lo único importante.» Por debajo de esta línea alegórica, la novela levanta lenta-

*La trama*

*Metáfora y alegoría*

mente otro campo metafórico que bien podríamos llamar metanarrativo, pues la relación con los cuadernos donde escribe esta letra muerta, «este papel mojado, esta letra muerta, este texto sin futuro, parece destinado a recoger los desperdicios de mis fluctuantes estados de ánimo», acabará por ser la más válida de sus apariencias y, entre ser fiel a la vida y ser fiel a la escritura, acabará por elegir esta última, y ello tan sólo en razón a su mejor capacidad para acomodarse a sus deseos más profundos. Vista con el paso del tiempo, esta novela no cesa de transmitir nuevas interpretaciones. Desde su escritura, la narrativa de Juan José Millás se ha ido despojando progresivamente de las apariencias reflexivas para centrarse más definitivamente en el mundo exterior. No quiero afirmar con esto que ese mundo exterior no estuviera presente, y con fuerza, en sus obras anteriores, pero es en las sucesivas, *Papel mojado, El desorden de tu nombre* y *La soledad era esto,* cuando el autor se ha decidido a abordar la narrativa desde un punto de vista en el que lo que se hace incorpora el pensamiento sobre lo que se hace y lo incorpora no por yuxtaposición, sino desde una decidida integración a través de lo narrativo.

*Vuelta a* Papel mojado

*Papel mojado* apareció por primera vez en 1983, el año anterior a *Letra muerta,* pero ya hemos explicado que en la formación de su obra es una novela simultánea o posterior. Sobre ella seguimos ofreciendo, en bloque aparte, el mismo estudio que se realizó para la redacción del primer *Apéndice.* Nos sigue pareciendo válido y útil para los lectores y poco más podríamos añadir al análisis efectuado. Pero sí conviene constatar que algunas de las características que se apuntaban en el estudio van a estar muy presentes en la narrativa posterior del autor. Nos referimos, por ejemplo, a la multiplicidad de registros, a la asimilación de lenguajes tan distintos como el científico, el moral, el político, el notarial o neutro; al uso en mayor proporción del diálogo como elemento narrativo o a la presencia de materiales metaliterarios o metanarrativos, a través de los cuales la narración se pregunta a sí misma sobre el sentido del narrar o las intenciones que subyacen en el hecho literario. En definitiva, *Papel mojado* supuso la revelación de las potencialidades litera-

rias que encierra lo narrativo, y en ese sentido bien puede decirse que es el punto de inflexión más importante, hasta el momento, en el conjunto de su obra. A partir de *Papel mojado* la narratividad es el camino por el que Juan José Millás va a hacer circular su visión del mundo, y no deja de ser significativo que los componentes reflexivos explícitos que hasta entonces modulaban las novelas del autor desaparezcan casi totalmente tanto en esta novela como en las dos siguientes. Esta desaparición origina o da lugar a un hecho que afecta a la actitud del lector durante la lectura, pues si los componentes reflexivos actuaban como un control sobre la lectura —la encauzaban—, al desaparecer, la libertad —y el riesgo— del lector será mucho mayor: las novelas tendrán que defenderse solas, el lector no recibirá *ayuda* y los elementos narrativos por sí mismos tendrán que contar o transmitir implícitamente la visión del mundo que vehiculan. En el origen de una transformación tan importante como la señalada está esta novela, *Papel mojado,* que, como ya se ha indicado, cierta parte de la crítica, en el momento de su aparición, no acertó a ver en toda su dimensión o, al menos, no logró entender lo que de novedoso incorporaba no sólo a la narrativa del autor, sino a la narrativa española del momento. Hoy parece claro que gran parte de las señas de identidad de la llamada nueva narrativa española coinciden con algunos de los rasgos señalados, lo que no quiere decir que su utilización consiga los mismos logros. No sería justo, sin embargo, olvidar que críticos tan importantes como Gonzalo Sobejano, profesor de la prestigiosa Universidad de Columbia, reconocieron pronto el sentido y el valor de esta novela y, así, el crítico mencionado entiende que *Papel mojado* puede considerarse «una *parodia* posmoderna de la novela policiaca llevada al *vértigo ficticio* a la vez burla y homenaje. Pero el sentido histórico-social concuerda con el de *Visión del ahogado:* «La nuestra fue una generación de indeseables que habrán de sufrir quienes nos sigan. ¡Qué distancia insalvable entre lo que quisimos ser y lo que éramos!»

*La visión del mundo*

El desorden de tu nombre

En 1988 los frutos de las transformaciones incorporadas a *Papel mojado* se hicieron ver de manera espectacular

en su siguiente novela: *El desorden de tu nombre* (Editorial Alfaguara). Una novela que algún crítico no ha dudado en definir como «un libro sabroso, redondo y azul como una naranja» y con la cual Millás no sólo seguiría cosechando el elogio de la crítica, sino que también, y sin perder el favor de la amplia secta de millasianos, rompería las barreras del público habitual para llegar a un público más amplio.

*Estructura triangular o de adulterio*

*El desorden de tu nombre* se construye con una estructura superficial que recuerda a la de *Visión del ahogado*. Es la estructura triangular o de adulterio. Su argumento, en resumen, sería el siguiente: Julio Orgaz, el ejecutivo de una editorial, se ha divorciado unos meses antes de que comience la acción de la novela y también muy recientemente ha sufrido la pérdida en un accidente de su amante, Teresa. Tiene alucinaciones auditivas —concretamente oye, sin venir a cuento, la música de *La Internacional*— e inicia sus visitas a un psiquiatra llamado Carlos Rodó. Al salir de la consulta suele pasar por un parque cercano, y allí conoce a una mujer casada, Laura, que le recuerda a su antigua amante y con la que pronto iniciará una relación pasional y amorosa. Laura resultará ser la mujer de su psiquiatra. La historia de amor llevará a los amantes a matar al marido de manera impune, con lo que podrán satisfacer sus anhelos de una vida feliz. Al mismo tiempo Julio logrará un ascenso importante en la editorial en la que trabaja. Ascenso que tiene su origen en buena parte en el enfrentamiento entre Julio y un joven autor, Orlando Azcárate, que le ha hecho entrega de un volumen de cuentos que Orgaz rechaza, a pesar de su calidad, y con alguno de los cuales ha seducido a Laura al hacerse pasar por su autor. La lectura de estos cuentos, además, pone en marcha el deseo de Julio de escribir una novela. Deseo que verá cumplido al final de la novela, cuando al llegar a casa —después de oír cantar *La Internacional* a un barrendero— encuentre encima de su mesa el manuscrito de *El desorden de tu nombre*. Vemos, por tanto, que la estructura de la novela no responde simplemente a la de una simple novela de adulterio. Tres ejes de deseos se superponen: el deseo amoroso, que estructura la historia de adulterio; el deseo de triunfo

social, que ordena la historia del ascenso laboral; y el deseo de escribir, que encauza todas las referencias metaliterarias y que en última instancia cimienta toda la novela. El profesor Sobejano, que ha seguido con atención la obra de Millás, en un trabajo sobre esta última novela advierte también un nuevo eje: «La última novela de Juan José Millás, *El desorden de tu nombre,* ofrece entre otras virtudes (trascendencia, agudeza, amenidad, pericia compositiva, precisión verbal) la insólita capacidad de hacer visible al lector el proceso a través del cual el escritor pasa de la lectura de cuentos «ajenos» y de la invención de cuentos «propios» a la construcción de una novela que va desarrollándose por emulación de aquéllos. Además de disfrutar de las aludidas virtudes, puede así el lector presenciar la pugna del género largo por vencer al género breve y asistir al triunfo de aquél sobre éste: contienda y victoria que no pueden menos de atraer la atención del crítico.»

*Metáfora de nuestra época*

Toda esta complejidad de intenciones se resuelve narrativamente con una brillantez que en algunos casos ha impedido dejar ver toda la fuerza que la novela contiene. Como si los árboles de tantos aciertos no dejasen ver el bosque o como si el bosque tan deslumbrante de la novela impidiese dejar ver la tierra fecunda y honda en la que árboles y bosque asientan sus raíces. Porque *El desorden de tu nombre* es una metáfora de nuestra época y bien puede decirse que Julio Orgaz bien puede ser un héroe de nuestro tiempo: quiere amar, pero sobre todo desea ser amado, quiere ser escritor, pero sin las fatigas de tener que escribir, quiere triunfar, pero sin mancharse las manos. Un héroe con mala conciencia que se libra de ella a través de los otros: del psiquiatra, de Laura, que mata por él, y de Orlando Azcárate, que es vanidosamente ambicioso (más ambicioso que él). Un héroe pasivo. Un miembro de esa generación que, si alguna vez tuvo algún ideal no narcisista, ahora quiere olvidarse de tal ideal (no olvidar es una rémora). No deja de ser significativo que la novela se abra y se cierre con el canto de *La Internacional.* Primero, como algo interior que molesta, al final, como algo exterior (el barrendero) que ya no da problemas porque se ha colocado en su

sitio (fuera). La pasividad del héroe es lo que convierte a la mujer, Laura, en la verdadera protagonista de la novela. Es ella quien maneja los hilos de la historia, la que despeja los caminos para que la ambición o las ambiciones de su amante se cumplan sin demasiado esfuerzo. Si a eso añadimos que la figura del marido y psiquiatra alcanza una dimensión muy significativa —también él es un ambicioso, pero un ambicioso demasiado evidente—, se comprenderá que esta novela no es sino el emblema de la traición de toda una generación que triunfa por fuera mientras se llena de vacío por dentro. En cierto modo *El desorden de tu nombre* es la historia de la transición española. La historia de un acomodamiento al entorno que enlaza por un lado con la historia de *Letra muerta* y por otro con su novela siguiente: *La soledad era esto.*

La soledad era esto

Si una novela fuera sólo un artefacto lingüístico, seguramente *La soledad era esto* sería una novela irreprochable. Por fortuna, una novela es algo más y ese algo más está también en esta novela. Por eso es necesaria. Porque toda novela, aunque ya no sea un espejo a lo largo de un camino, sigue siendo un espejo delante del lector en el que éste se mira, se reconoce y —si alcanza la condición de necesaria— se descubre, es decir, descubre el mundo a través del mundo que la novela le entrega y ofrece. Una novela así es *La soledad era esto,* la narración con que Juan José Millás logró el último premio Nadal.

*La trama*

A una mujer le llega la noticia de la muerte de su madre mientras se depila las piernas. La tarea quedará a medias, con una pierna en el ayer y otra en el mañana. La muerte marca el compás de su andadura, el antes y el después, su pasado y su futuro. Sobre el paso de uno a otro se desarrolla la narración. La muerte de la madre como origen y como espejo real, último. Frente a él, los otros (el marido, la hija, la familia, la posición social) pierden su autoridad y su sentido. Se resquebrajan. Se vienen abajo. No sirven y la mujer cae en el extravío, en el camino que no sabe adonde lleva. Ese camino es la novela. La historia de una huérfana, de alguien que no tiene donde apoyarse, donde crecer, donde aceptarse.

Como en las narraciones primigenias, el cuento, la

leyenda, la protagonista se verá ayudada por un objeto mágico: entre las pertenencias de su madre encontrará sus diarios: serán su cuaderno de bitácora. Desde que las últimas amarras (la madre) se han soltado, su vida se ha convertido en un viaje iniciático «entre acoplarse a lo que llama realidad o levantar una realidad propia en la que retirarse a vivir». La angustia —y el deseo— se asientan en su cuerpo como un nudo en los intestinos. Busca saber desde dónde lo inicia y contrata a un detective que, si primero le envía informes sobre su marido (un triunfador de nuestra transición: de la revolución al dinero), luego se encargará de su propia vigilancia, como alguien que la acompaña en el viaje, en su metamorfosis: «La seguridad de que alguien me mira me da fuerzas para moverme de un lado a otro en esta durísima tarea de construir mi propia vida.»

*Búsqueda de la propia realidad*

«Se trata de que al final haya merecido la pena haber vivido.» Se trata de abandonar unas señas de identidad impuestas y de encontrar las señas de las necesidades necesarias, propias, reales; de descubrir que la clave no reside tanto en la imagen que el espejo devuelve como en la elección del espejo: «No olvidar nunca sus orígenes, para recordar de vez en cuando, como ejercicio de humildad, que su cuarto de baño —tan luminoso y amueblado como el de un hotel de lujo— se había levantado sobre los restos de otro cuarto de baño, desconchado y roto como el de una pensión, en el que los aparatos sanitarios no tenían otro fin que el de su uso.» Valores de cambio. Valor de uso. Y Elena Rincón, la protagonista, se va desprendiendo, capítulo a capítulo, lentamente, de la realidad ajena. Desea encontrar la suya, pero sabe que nadie la va a encontrar por ella ni la va a encontrar en nadie. No es Madame Bovary, aunque alguna vez soñó que los sueños son realizables. Si alguien piensa que ésta es la novela de una mujer frustrada que busca su deseo en el deseo ajeno está equivocado. Será ella quien se construya sus propias coordenadas. Parece haber aprendido bien la lección de Sartre: «Una cosa es lo que hagan con nosotros y otra cosa es lo que nosotros hagamos con lo que han hecho con nosotros», y por eso toma las riendas de su propia

vida, de su propia novela: desaparece el narrador interpuesto y ella toma la palabra. A mitad de la novela deviene su propia narradora a través de un espectacular cambio de vista que pronto estará como ejemplo en los manuales de teoría literaria. Al final del viaje sólo se encuentra la tranquilidad de quien ha aceptado vivir su propio vértigo, su propia muerte, su propio nacimiento, «pero el mío, aquel a través del cual me naceré, crece hacia la posibilidad de una vida nueva, diferente, mientras que el suyo crece hacia la repetición mecánica de lo que ha visto hacer en los otros».

*La importancia de la forma*

Y no cabe distinguir lo que la novela cuenta de cómo se cuenta. Aquí la forma es lo que se cuenta y nada, repetimos, de lo que se cuenta podría haberse contado de otra manera. La narración no es el vehículo, es el todo. No sirve hablar, por tanto, de esa narratividad servil hacia el lector por la que se está despeñando gran parte de nuestra narrativa actual. Lo narrativo —la presencia de una trama, de una historia, de un argumento, de unos personajes que se mueven y actúan— no es una fórmula para endulzar la píldora al lector. El despliegue de recursos técnicos no es un repertorio de golpes de mano, trucos de magia narrativa o de guiños estéticos que sorprenden o gratifican. La novela busca al lector, no lo rehuye, pero tampoco suplica o mendiga su complicidad. Todo es necesario y sólo deviene necesario cuando aparece en el texto. Tan necesario como el zapato que pierde Cenicienta, la manzana que traga Blancanieves o el aristocrático baile al que asiste Madame Bovary. Todo significa, desde ese lenguaje neutro en apariencia, seco, casi notarial, con el que Millás salpica su escritura para lograr despersonalización y distancia, «tuvo la tentación de abandonarse al estado de ánimo propio de la producción de lágrimas», hasta las descripciones de tono cuasi lírico: «Había comenzado a llover de nuevo, pero el agua —difuminada y borrosa— caía sobre los tejados como una gasa que hubiera sido aplicada anteriormente sobre un cuerpo agonizante», pasando por la apertura hacia el literario tema del doble, la puntada metanarrativa, «los informes son muy buenos, están muy bien escritos, pero falta la voz de un

narrador personal, de un ser humano que opine sobre lo que oye y ve», o las leves referencias al mundo de sus novelas anteriores: *Cerbero son las sombras, El jardín vacío.*

*Depuración en la obra de Millás*

A lo largo de toda su obra narrativa, y de forma manifiesta desde la publicación de *Papel mojado,* Juan José Millás se ha ido decantando hacia un tipo de narración que acentúa el desalojo del autor en beneficio de la voz que la propia narración —como género— conlleva. Novela a novela sus narraciones se han ido erigiendo en soberanas y se han ido depurando de reflexiones ajenas a lo propiamente narrativo. No cabe decir que en *La soledad era esto* hay una visión del mundo: es una visión del mundo. Si ya en su novela anterior, *El desorden de tu nombre,* esta decantación se había producido de manera cumplida, quizá sea en ésta donde mejor se adviertan los beneficios de su apuesta. Su mundo es el mismo desde su primera hasta su última novela: los problemas de encontrar un punto medio entre la soledad y los otros, el juego trágico entre el interior y el exterior, la extrañeza —lo injusto— que se oculta en lo cotidiano. Valga tan sólo decir que, después de leer *La soledad era esto,* nuestras subjetividades colectivas cambian, la lectura de los valores sociales de nuestra sociedad se ponen en cuestión y contamos con más posibilidades de conocernos a nosotros mismos. Elena Rincón bien podría pasar a formar parte de la leyenda literaria. La culminación de una obra narrativa que todavía está en marcha.

## Papel mojado

*Circunstancias diversas*

Al considerar la biografía del autor, ya se ha mencionado que esta novela surge de un modo *aparentemente casual* dentro de la obra de Millás. Es la posibilidad de entrar en un mundo inusual para un autor español, la literatura para jóvenes, así como de llegar al gran público y por tanto pasar la prueba de fuego que toda edición de gran tirada representa, lo que le empuja, en un primer momento, a redactarla, a pesar de que se halle entonces trabajando con gran intensidad en la elaboración de otra novela, *Letra muerta.* El hecho de escribir de modo casi simultáneo ambas novelas le originaría mu-

chas dificultades, pero el autor valora muy positivamente esa experiencia. De forma indirecta, cuando el inspector Cárdenas indica que el manuscrito es «papel mojado, amigo, letra muerta», el propio texto remite a esta circunstancia. Aunque *Papel mojado* encaja de forma lógica y coherente con el resto de su narrativa, conviene señalar que con ella Millás inaugura una nueva vena en su novelística.

*Argumento*

El argumento o peripecia anecdótica es arquetípica de la novela de detectives: aparece un cadáver y alguien se encarga de aclarar las causas y hechos que acarrearon el que tal «desorden» se haya producido. Entre las variantes que en *Papel mojado* se introducen con respecto al arquetipo o modelo podríamos citar las siguientes, muchas de las cuales son, a su vez, usuales dentro del género:

- el muerto parece en principio haberse suicidado
- el investigador es un amigo del anterior
- no existen sospechosos concretos
- el asesino no será arrestado
- la novela es un elemento más de la trama.

*El tema*

El tema, que debe encerrar el cauce y la clave de todo el relato, lo que late debajo de todo su desarrollo, es: «la diferencia entre lo que se quiere ser y lo que se es», es decir, «las relaciones entre la apariencia y la realidad», y, por tanto, «la razón de ser de la literatura».

*¿Novela policiaca?*

En *Papel mojado* aparecen de forma clara muchos de los ingredientes tradicionales de la novela policiaca, tanto de la «novela negra» como de la denominada «de enigma». Entre ellos podemos citar:

- Tono cínico: «Hacía algún tiempo que sabía que uno puede llegar a gustar a todas las mujeres a condición de no gustar a la única a la que uno quiera gustar.»
- La violencia como elemento que no sorprende: «Eran castigados entre risas, cuando no conseguían en la máquina la puntuación precisa para sacar una partida gratis.»

- Ingenio y agilidad en los diálogos: «—Esta conversación no nos lleva a ningún sitio —le dije. —Yo no podría ir de todos modos —respondió.»
- Erotismo: «La seda negra de su camisa resbalaba...»
- Concreciones costumbristas: «El taxi me costó cuatrocientas ochenta pesetas.»
- Lenguaje coloquial: «Estaba tocada de ala.»
- Anagnórisis o explicación final de los hechos.
- No evolución vivencial de los protagonistas, que no serán modificados por las experiencias que sufren en el relato: Manolo G. Urbina abandonará el texto con la misma «condición humana» con que entró en él: «La vida continuaba troquelada, aunque inmóvil.»

*Algo más que una novela policiaca*

A pesar de que *Papel mojado* contenga todos los ingredientes constitutivos, es algo más que una novela policiaca en sentido estricto. Y ello en tres vertientes:

- *Primera.* Al acentuar la tendencia, ya generalizada en la narrativa policiaca actual, a parodiar el propio género (constatable en el conocimiento que los protagonistas muestran —básicamente el detective— de actuar como personajes de novela policiaca), se produce un salto cualitativo, que otorga a la novela una dimensión mayor, cercana a la de aquellas narraciones en que la literatura se refleja en sí misma y cuyo mejor representante es, sin duda, Jorge Luis Borges. Estas «intromisiones» metaliterarias tienen su primer precedente en *Don Quijote,* quien en la segunda parte de sus aventuras ya actúa influido por conocer que es un personaje de libro. La presencia del referente borgiano en *Papel mojado* también se traduce en la estructura de la novela. El salto cualitativo mencionado es quizás la mayor y más original aportación de Millás al género.
- *Segunda.* Es, en cierto modo, una reflexión implícita y explícita sobre el tipo de materiales con que una determinada generación (hoy entre los 35

y 40 años) apuntaló su escala de valores y sus modos de comportamiento: «Tú sabes cómo la gente de nuestra edad y nuestra condición ha mitificado determinadas formas de indigencia, o determinados modos de vida en los que la indigencia era un referente moral al tiempo que un adorno estético.» En este sentido coincide con Vázquez Montalbán, con la diferencia de que, si éste intenta una crónica de comportamientos, Millás se centra en las actitudes interiorizadas. De forma implícita tal dimensión se percibe en todos aquellos momentos en que el autor —prosiguiendo una pesquisa que ya Martín Gaite citaba para *Visión del ahogado*— rastrea los patrones-madre de los comportamientos que en la novela surgen: «Lamenté que mis reflejos no estuvieran a la altura de la imagen que se estaba haciendo de mí.»

- *Tercera.* Del conjunto del relato se desprende también una serie de proposiciones que permiten sistematizar una cierta casuística o teoría del autor sobre los motivos que inducen a la creación literaria. La escritura como «desquite de tanta vida inútil», «forma de llegar a ser alguien», «el pensamiento de que mi original, todavía incompleto, pudiera tener ya un primer lector restauró algunos puntos muy dañados donde reposaba desde la adolescencia, y en pésimas condiciones de almacenamiento, mi vanidad de escritor». Si bien el propio hecho argumental de que la novela no sea en realidad «escrita» por el personaje que aporta estos datos conlleve el que esta casuística se relativice, parece apropiado recordar que Millás ha manifestado en varias ocasiones que, entre otras razones, escribe «porque necesito vengarme, necesito tomar satisfacción de un agravio que nos alcanza a todos. Escribir sería, en este caso, luchar contra el terrorismo de lo cotidiano».

*Literatura a secas*

Estas tres vertientes que afluyen sobre los materiales policiacos estrictos de la novela, aunque no distorsionan hasta la destrucción la estructura pertinente del género,

que por tanto no funciona como un mero pretexto, amplían cualitativamente la comprensión y el significado último de la novela. Todo ello nos induce no a referirnos al manido tópico de los diferentes niveles de lectura, sino a considerar *Papel mojado* como una novela que, aun siendo policiaca, es sobre todo novela, literatura a secas.

*La estructura*

La maestría compositiva de las novelas de Millás, «la coherencia interna, el rigor con el que están ensambladas todas las piezas», que Andrés Amorós ponía de relieve, es uno de los talentos narrativos que toda la crítica le reconoce. En *Papel mojado* los materiales narrativos se distribuyen con una precisión matemática, con la bondad y excelencia de un mecanismo de relojería.

Si se repara en el simple reparto tipográfico del texto, se comprobará que de los quince capítulos de que consta el libro la mayoría se ajustan en nueve páginas. Hacia el final pasan a concentrarse en siete, en cuatro en el momento del clímax argumental para volver a nueve en el capítulo final o anticlímax. Evidentemente tales coincidencias no son una mera casualidad, sino un síntoma claro de su dominio del oficio de narrar, que confiere a la novela un ritmo trepidante y de resonancias cinematográficas. Mantener ese ritmo y tensión no ha sido sin duda la menor de las dificultades que el autor hubo de resolver.

La estructura globalmente responde a un desarrollo cronológico lineal, salvo en el arranque, donde el narrador justifica la elaboración de su relato: «Por eso he decidido desquitarme de tanta vida inútil y cumplir, de paso, la promesa que un día le hiciera a mi amigo Luis Mary: lo voy a meter en una novela.» Sin embargo, el capítulo final, que contiene la explicación argumental, trastoca mentalmente esta linealidad y remite todo el relato hacia una estructura circular, que por añadidura provoca un proceso de relectura, puesto que, si la novela, «en realidad», ha sido escrita por el presunto muerto, el lector ha de reacomodar toda la historia de un modo semejante a lo que sucede con uno de los más bellos relatos de Juan Carlos Onetti: *Los adioses*. El final circular, al remitir lo novelado a otra e idéntica novela,

cierra y abre al tiempo todo el texto. La brillantez de este hallazgo, que vuelve a aproximar la narración a la esfera borgiana, reajusta la lectura efectuada hasta entonces, que, tal y como se encarga de recordar el inspector Constantino Cárdenas, permitía ya encontrar las señales lanzadas en esa dirección, lo que por añadidura impide considerar la sorpresa final como estructuralmente gratuita. Esta utilización de la estructura para vehicular contenidos superpuestos es otro de los grandes aciertos de la novela.

*El estilo*

Aunque de forma sintética, parece imprescindible detenerse en algunos aspectos relevantes:

- *Multiplicidad de registros.* A lo largo de la novela y de modo casi inaudible, se pasará constantemente de un registro a otro. De lo paródico a lo desgarrado, del humor al timbre trágico, del sarcasmo al melodrama, de lo lírico a lo cruel, de la ironía a la fría distancia fotográfica. Todo este repertorio por lo equilibrado de su utilización evitará que el lector se «distraiga».
- *Lenguaje.* Al lado de los modos de elocución ya característicos de la prosa de Millás: sustantivos provenientes del acervo filosófico (Spinoza y existencialismo sobre todo), adjetivación de tono moral, escarceos con el vocabulario científico, comparaciones que remiten al mundo mineral y animal, y aparición de fugaces imágenes surrealistas: «cogí el insomnio de la mesilla», lo más característico en *Papel mojado* es la utilización mayoritaria de un lenguaje que, aun siendo coloquial, no pierde la precisión en el uso que significa al autor. Como nota curiosa señalaremos que es ésta la primera novela de Millás en donde el color se hace ver en las descripciones, lo que sin duda es síntoma de que, al contrario que en sus obras anteriores, los componentes abstractos son mucho menos intensos.
- *Diálogo.* Un simple visionado material de las obras anteriores del autor muestra a las claras que,

si bien el diálogo no dejaba de ser en ellas un recurso eficaz, en *Papel mojado* el diálogo lo invade todo y se convierte en soporte primordial del relato. En la línea de brillantez y agilidad pertinente en el género destacan sus diálogos por su naturalidad y falta de estereotipación. En casi ningún momento lo fuerza buscando la brillantez por la brillantez.

● *Los componentes reflexivos.* Es una constante, casi con rango de estilema, en la obra narrativa de Millás la presencia destacada, al menos cualitativamente, de un «corpus» reflexivo, que se mueve entre la moral, la lógica, el nihilismo y el existencialismo junto con menores incrustaciones de dialéctica marxista. Este «corpus» reflexivo, que en sus anteriores novelas adquiría un rol paralelo al del coro en las tragedias griegas, es decir, acompaña y comenta al lector los hechos que se presentan, persiste en *Papel mojado,* pero utilizándose con una economía que precisamente por su escasez produce, a nuestro entender, una intensa eficacia, y si bien su presencia contribuye a diluir positivamente la anécdota, no interfiere en demasía lo que podríamos denominar libertad de juicio del lector.

*Los personajes*

Nadie que haya leído la novela dudará por un instante de que el personaje hegemónico del texto es paradójicamente aquel que desde sus primeras páginas adquiere la condición de muerto: Luis Mary. Sin embargo, debe observarse que en el relato no funciona como presencia individual. Las relaciones entre Luis Mary y Manolo G. Urbina serán el protagonista real de la novela. El amor/odio hacia Luis Mary (y su viceversa), al que Manolog está encadenado (la camisa negra que Carolina hereda añade además un cierto componente turbio), es la clave de toda la bóveda narrativa. La explicación final por la cual Luis Mary pasa de muerto a dueño y creador de la novela —de víctima a verdugo— reinvierte el proceso de vampirización que hasta entonces se hacía sospechar, pues, mientras la revelación última no se produce, lo que se infiere es que Manolog se apropiaba

de la personalidad de Luis Mary (de ahí la aparente incoherencia de que aquél, de apariencia más bien gris, se exprese en un tono más propio de las características otorgadas a éste), es decir, lo vampirice, pero una vez que el lector sabe que «el autor» de la novela es «en realidad» Luis Mary, necesariamente ha de interpretar que las relaciones parasitarias se han trocado.

Carolina y Teresa, si bien no se sitúan narrativamente en el mismo plano de relevancia que sus respectivos compañeros, ocupan funcionalmente un lugar decisivo. Teresa, en realidad, cumple un mero rol pasivo, de apoyo y réplica a Manolo G. Urbina, mientras que Carolina está dotada de una mayor autonomía narrativa.

El inspector Constantino Cárdenas es introducido en el relato con una graduación deslumbrante. De ser un simple nombre pasará a convertirse en el personaje hegemónico y central de los capítulos finales. Es uno de esos personajes, en la línea del comisario Maigret, con el que los lectores llegan a establecer una relación casi física.

El resto de los personajes secundarios: Menéndez Cueto, Fernando, Campuzano adquieren en la novela cuerpo, presencia y función con una aparente y pasmosa facilidad. En dos o tres trazos, en algún caso con un simple silencio, logran entidad narrativa, lo que hace necesario elogiar la capacidad creadora a este respecto del autor ya visulmbrada en *Visión del ahogado.*

Constantino BÉRTOLO CADENAS

# *Bibliografía**

| | |
|---|---|
| 1975 | *Cerbero son las sombras* |
| 1977 | *Visión del ahogado* |
| 1981 | *El jardín vacío* |
| 1983 | *Papel mojado* |
| 1984 | *Letra muerta* |
| 1988 | *El desorden de tu nombre* |
| 1990 | *La soledad era esto* |
| 1990 | *Volver a casa* |
| 1992 | *Primavera de luto* |

*Además de sus novelas, Juan José Millás ha escrito diversos apéndices y ensayos para esta colección, algunos tan notables como la *Introducción a la literatura satírica*, la *Introducción a la novela policíaca* o la *Introducción a la literatura de ciencia-ficción* (véase Col. «Tus libros», núms. 1, 2, 14, 17, 18, 28, 29, 47 y 60). Asimismo ha colaborado de modo asiduo en prensa, con series tan curiosas y originales como «En fin» y «Escalera de servicio», ambas aparecidas en *El País*. Columnista habitual de *El País*, colabora al mismo tiempo en más de media docena de periódicos diferentes.